# Le grand livre de l'humour noir

PHILIPPE HÉRACLÈS

Philippe Héraclès
avec la collaboration de Lionel Chrzanowski

# Le grand livre de l'humour noir

Illustré par Kerleroux

Éditions J'ai lu

## À NOS CHERS LECTEURS RETROUVÉS

Cet ouvrage reprend une grande partie du *Petit Dictionnaire à mourir de rire*, t. 1, paru en 1982 et du t. 2 paru en 1985, tous deux épuisés depuis plusieurs années.
Il y a été ajouté l'équivalent des t. 3 et 4 restés inédits jusqu'à ce jour.
Le tout ainsi regroupé en un seul volume réjouira, nous l'espérons, les amateurs d'humour noir.
Pour la circonstance, le dessinateur Kerleroux a repris le flambeau, en nous accompagnant dans un pèlerinage où seul l'humour a droit de cité,

LES ÉDITEURS

*à Chaval*

# À quoi bon mourir?

*Tous les morts vous le diront, mourir n'apporte rien à votre existence, à peine si cela nourrit votre inexistence. En plus, le départ est obligatoire et il n'y a aucune chance de manquer la sortie. On y va même les yeux fermés. Tout est prévu, aucun souci à se faire. Seule une vue imprenable sur l'au-delà n'est pas garantie.*

*En attendant cette « fin en soi », le temps pour chacun s'écoule immobile, car ce n'est pas le temps qui passe mais bien nous qui passons.*

*On tourne donc toujours en rond sur notre terre, voilà pourquoi la vie n'a parfois aucun sens! Pour supporter ce destin inéluctable, l'homme a inventé de multiples religions tentant d'expliquer l'absurdité de la mort. On peut aussi proposer comme remède l'humour et la dérision.*

*L'humour noir, en toute circonstance, permet d'affronter les pires épreuves de la vie tout en gardant une conscience aiguë des événements les plus dramatiques. Cette réflexion sur nos multiples contradictions facilite une réponse sans détour aux questions essentielles. Ainsi, avec cette pensée d'Henri Rochefort : « Si haut qu'on monte, on finit toujours par des cendres », tout est dit ou presque; le reste est affaire de sensibilité ou de subtilité.*

*À la lecture de ce livre, on verra combien les écrivains, et parfois les plus inattendus, ont su donner à la mort un ton d'humour inégalé dans la verve et la repartie. On ne va jamais aussi loin que lorsqu'on ne sait pas où l'on va!*

*« Ne prenez pas la vie trop au sérieux : de toute façon, vous n'en sortirez pas vivant », écrivait Elbert Hubbard.*

*Léo Campion maintenant : « Il faut bien que tout le monde vive et comme il faut bien que tout le monde meure, ça fait une moyenne », ou encore cette réplique étonnante de Véra de Talleyrand : « On passe sa vie à dire adieu à ceux qui partent, jusqu'au jour où l'on dit adieu à ceux qui restent. »*

*Avoir le sens de l'humour est une garantie de liberté pour soi et pour les autres surtout quand on parle de sa propre vie.*

*Humour noir et dérision sont intimement liés. Ils créent une attitude saine pour contredire l'ordre des choses. Ils sont aussi une morale de l'esprit, qui consiste à remplacer statuts ou acquis par des points d'interrogation sculptés parfois dans l'impertinence plus que dans le marbre.*

*L'humour noir n'est pas une fuite du réel mais au contraire une adhésion à ce qu'il y a de plus réel dans le réel. Il n'y a pas d'illusion, il y a un constat bien établi qui fait voir les situations telles qu'elles sont avec une interprétation propre à les rendre plus acceptables.*

*L'humour noir souligne toujours avec amertume et parfois désespoir l'absurdité du monde, de l'existence et de notre société. Celle-ci a d'ailleurs si bien évacué la mort de notre civilisation qu'elle en est devenue presque inhumaine. Il faudra bientôt réhabiliter la mort avant qu'il soit trop tard !*

*Je souhaite que cet ouvrage, mieux qu'une philosophie, puisse aider à rire de l'inévitable car si la vie est parfois invivable, la mort l'est encore plus.*

*Cette édition pourrait devenir alors un authentique livre de chevet.*

Philippe HÉRACLÈS

# Décomposition de l'ouvrage

Citation à l'entrée du cimetière
« Les Taillades » :

*Nous avons été ce que vous êtes*
*Vous deviendrez ce que nous sommes*

ou celui du cimetière d'Alger :

*Aujourd'hui moi*
*Demain toi*

# Les pensées, aphorismes et bons mots immortels

## ÉPICURE

*(341-270 av. J.-C.)*

• Familiarise-toi avec l'idée que la mort n'est rien pour nous, car tout bien et tout mal résident dans la sensation ; or, la mort est la privation consciente de cette dernière. Cette connaissance certaine que la mort n'est rien pour nous a pour conséquence que nous apprécions mieux les joies que nous offre la vie éphémère, parce qu'elle n'y ajoute pas une durée illimitée, mais nous ôte, au contraire, le désir d'immortalité. Ainsi, celui des maux qui nous fait le plus frémir n'est rien pour nous, puisque tant que nous existons, la mort n'est pas et que, lorsque la mort est là, nous ne sommes plus. La mort, par conséquent, n'a aucun rapport avec les vivants, ni avec les morts, étant donné qu'elle n'est rien pour les premiers et que les derniers ne sont plus rien pour elle.

## MARC AURÈLE

*(121-180)*

• Dusses-tu vivre trois fois mille ans et même autant de fois dix mille, souviens-toi toujours que personne ne perd d'autre existence que celle qu'il vit et qu'on ne vit que celle qu'on perd.

• En un mot, toujours considérer les choses humaines comme éphémères et sans valeur; hier, un peu de gloire, demain momie ou cendre. En conséquence, passer cet infime moment de la durée conformément à la nature, finir avec sérénité, comme une olive parvenue à maturité.

## HODJVIRI

*(XIe siècle)*

• La vie est un rêve dont la mort nous réveille.

## FRANÇOIS VILLON

*(1431-1463?)*

• Je suis François, cela me peine
Né à Paris, près de Pontoise
Au bout de la corde d'une toise
Mon cou saura ce que mon cul pèse.

## ANONYME

### LA CHANSON POUR LA PALICE *(1470-1525)*

• Hélas! La Palice est mort,
Il est mort devant Pavie.
Hélas! s'il n'était pas mort,
Il serait encore en vie.

Il mourut le vendredi,
Le dernier jour de son âge,
S'il fût mort le samedi
Il eût vécu davantage.

## HENRI ESTIENNE

*(1531-1598)*

- Les gourmands font leur fosse avec leurs dents.

## FRANÇOIS RABELAIS

*(vers 1494-1553)*

TESTAMENT

« Je n'ai rien vaillant,
Je dois beaucoup,
Je donne le reste aux pauvres. »

## MIGUEL de CERVANTES Y SAAVEDRA

*(1547-1616)*

- Tout est bon dans la vie, même la mort.

---

### ÉTIENNE TABOUROT

*(1547-1590)*

DU BEAU TOMBEAU D'UN MÉCHANT

Jacques, pleurant près un tombeau
Sous lequel gît un méchant homme,
Composé d'un marbre aussi beau
Qu'on en saurait trouver à Rome :
« Jc pleure, dit-il, seulement
Ce marbre mis indignement. »

---

### WILLIAM SHAKESPEARE

*(1564-1616)*

• Celui qui meurt cette année en est quitte pour l'an prochain.

• Les lâches meurent plusieurs fois avant leur mort;
Le brave ne goûte jamais la mort qu'une fois.

---

### MARC de MAILLET

*(1568-1628)*

• Mes vers, à mon secours devez-vous pas courir?
(...)
C'est bien votre devoir d'empêcher de mourir
Celui-là qui vous fait éternellement vivre.

---

### PRINCE CHARLES de LUYNES

*(1578-1621)*

• J'avance vers l'hiver à force de printemps.

## THÉOPHILE de VIAU
*(1590-1626)*

● Ah ! voici le poignard qui du sang de son maître
S'est souillé lâchement. Il en rougit, le traître !

## DENIS SAUGUIN de SAINT-PAVIN
*(1595-1670)*

### ÉPIGRAMMES À SILVANDRE

Silvandre n'a pas eu tort,
Peu de jours avant sa mort,
D'avoir fait brûler son livre ;
Chacun l'avait condamné :
Un enfant si mal tourné
Ne méritait pas de vivre.

## GUILLAUME COLLETET
*(1598-1659)*

● Ne pensez pas toujours fouler mon cœur aux pieds,
Ma mansuétude a des bornes.

Si de nouveau vous me trompez,
Je vous tuerai, Clymène, à coups de cornes.

---

## MARIN LE ROY, SIEUR de GOMBERVILLE
*(1600-1674)*

• Pense donc à la mort ; ton âge t'y convie ;
Et si tu veux bâtir, va bâtir un tombeau.

---

## CARDINAL JULES MAZARINI, dit MAZARIN
*(1602-1661)*

• Je voudrais que l'on vienne jouer aux dés sur ma tombe, j'ai trop aimé ce bruit.

---

## PIERRE CORNEILLE
*(1606-1684)*

• Mourir pour son pays est un si digne sort,
Qu'on briguerait en foule une si belle mort.

---

## THOMAS FULLER
*(1608-1661)*

• Une femme ne doit quitter sa maison que trois fois :
— pour son baptême,
— pour son mariage
— et pour son enterrement.

---

## PAUL SCARRON
*(1610-1660)*

TESTAMENT

• Je lègue tous mes biens à mon épouse, à condition qu'elle se remarie.
Ainsi, il y aura tout de même un homme qui regrettera ma mort.

---

## SAMUEL BUTLER

*(1612-1680)*

• La mort n'est qu'un banal incident qui ne dure qu'un instant. Une affaire où l'on a plus de peur que de mal.

---

## FRANÇOIS de LA ROCHEFOUCAULD

*(1613-1680)*

• Les vieillards aiment à donner de bons conseils pour se consoler de n'être plus en âge de donner de mauvais exemples.

---

## GEORGES de BRÉBEUF

*(1617-1661)*

• Tous tes pas sont faux pas;
Tu ne fais pas de pas,
Que ces pas,
Pas à pas,
Ne mènent au trépas.

---

## ROGER, COMTE de BUSSY-RABUTIN

*(1618-1693)*

### À UN CRITIQUE

• Tu ne vantes les gens que des siècles passés :
Pardonne mon aveu sincère et légitime;
Je ne t'estime pas assez,
Pour vouloir, pour ma mort, mériter ton estime.

## ANTOINE FURETIÈRE
*(1619-1688)*

• Un médecin est un homme que l'on paie pour conter des fariboles dans la chambre d'un malade, jusqu'à ce que la nature l'ait guéri ou que les remèdes l'aient tué.

## NINON de LENCLOS
*(1616-1706)*

• À sa mort : Bah ! je ne laisse après moi que des mourants !

## JEAN-BAPTISTE POQUELIN dit MOLIÈRE
*(1622-1673)*

• Il vaut mieux encore être marié qu'être mort.

• C'est toujours la faute de celui qui meurt. Enfin le bon de cette profession est qu'il y a parmi les morts une honnêteté, une discrétion la plus grande du monde ; et jamais on n'en voit se plaindre du médecin qui l'a tué.

---

### JEAN de LA BRUYÈRE
*(1645-1696)*

• Il faut rire d'être heureux, de peur de mourir sans avoir ri.

• Les mourants qui parlent de leur testament peuvent s'attendre à être écoutés comme des oracles.

---

### JEAN-FRANÇOIS REGNARD
*(1655-1709)*

• Mais il faut tant d'argent pour se soigner que, puisqu'il faut mourir, autant vaut l'épargner.

---

### BERNARD LE BOVIER de FONTENELLE
*(1657-1757)*

• Quelqu'un disait à Fontenelle que la mort l'avait oublié, il répondit : « Chut ! »

• À presque cent ans, Fontenelle mourut.
Comme on lui demandait comment il allait, la veille de sa mort, il répondit : « Ça s'en va. »

• « J'ai presque 100 ans, et je n'ai pas d'ennemis... ils sont tous morts. »

• Dernier mot de Fontenelle :
« J'éprouve une difficulté d'être. »

• À un ami qui lui souhaitait de vivre 100 ans :
« De grâce, ne fixez pas de limite à la bonté de Dieu, vous allez me porter malheur ! »

---

## JONATHAN SWIFT
*(1667-1745)*

• Tout le monde veut vivre longtemps, mais personne ne veut être vieux.

---

## JEAN-BAPTISTE ROUSSEAU
*(1671-1741)*

### À UN ÉCRIVAIN

• Tu dis qu'il faut brûler mon livre :
Hélas ! le pauvre enfant ne demandait qu'à vivre ;
Les tiens auront un meilleur sort :
Ils mourront de leur belle mort.

---

## ALEXIS PIRON
*(1689-1773)*

### POUR VOLTAIRE
très amaigri vers la fin de sa vie

• Sur l'auteur dont l'épiderme
Est collé tout près des os
La Mort tarde à frapper ferme,
De peur d'ébrécher sa faux.

• Je suis au bout de ma route ;
C'était un vrai casse-cou.
J'y vis clair, je n'y vis goutte ;
Je fus sage, je fus fou.
Enfin je me vois au trou
Que n'évite fou ni sage.

---

## FRANÇOIS MARIE AROUET dit VOLTAIRE
*(1694-1778)*

• Je perds mes dents, je meurs au détail.

• Il n'y a rien de plus ridicule qu'un médecin qui ne meurt pas de vieillesse.

ÉPIGRAMME DU MÊME

• L'autre jour, au fond d'un vallon,
Un serpent piqua Jean Fréron.
Que pensez-vous qu'il arriva ?
Ce fut le serpent qui creva.

• On doit des égards
Aux vivants,
On ne doit aux morts
Que la vérité.

• Un dictionnaire sans citations est un squelette.

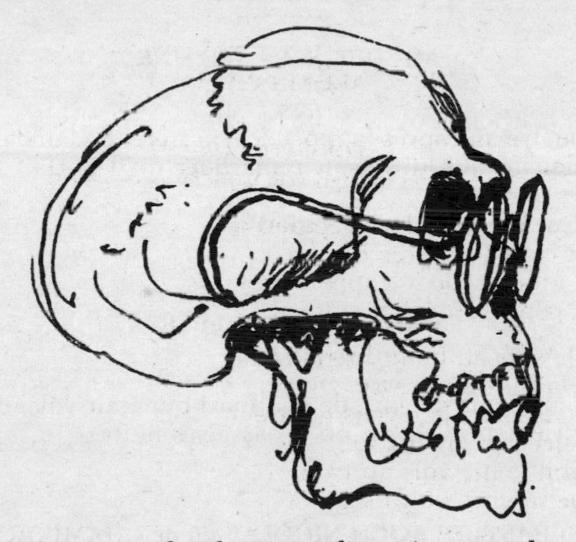

• La mort entre les dents, ou du moins entre les gencives, car je n'ai plus de dents.

• J'approche tout doucement du moment où les philosophes et les imbéciles ont la même destinée.

---

**CLAUDE DE FUZÉE, ABBÉ de VOISENON**
*(1708-1775)*

• Il y aurait une grande mortalité si l'on cessait de vivre lorsqu'on n'a plus rien à dire.

---

**DENIS DIDEROT**
*(1713-1784)*

• Sur Fontenelle qui, à la fin de sa longue vie, avait de rares traits d'esprit :
« C'est un vieux château où il revient des esprits. »

---

**MICHEL JEAN SEDAINE**
*(1719-1797)*

• Quatre ans après la mort de son frère, Sedaine dit à quelqu'un qui lui faisait remarquer qu'il portait toujours le deuil :
« N'est-il point toujours mort ? »

---

**MADAME de BOUFFLERS**
*(1725-1800)*

• Veuve, elle déclara de son mari qui était volage :
« Je vais enfin savoir où il passe ses nuits. »

---

**SÉBASTIEN ROCH NICOLAS dit de CHAMFORT**
*(1741-1794)*

• Vivre est une maladie dont le sommeil nous soulage toutes les seize heures. C'est un palliatif, la mort est le remède.

• Un homme était en deuil, de la tête aux pieds : grandes pleureuses, perruque noire, figure allongée. Un de ses amis l'aborde tristement :
« Eh ! bon Dieu ! qui est-ce donc que vous avez perdu ?
— Moi, dit-il, je n'ai rien perdu : c'est que je suis veuf. »

• Apprendre à mourir et pourquoi ? On y réussit très bien la première fois.

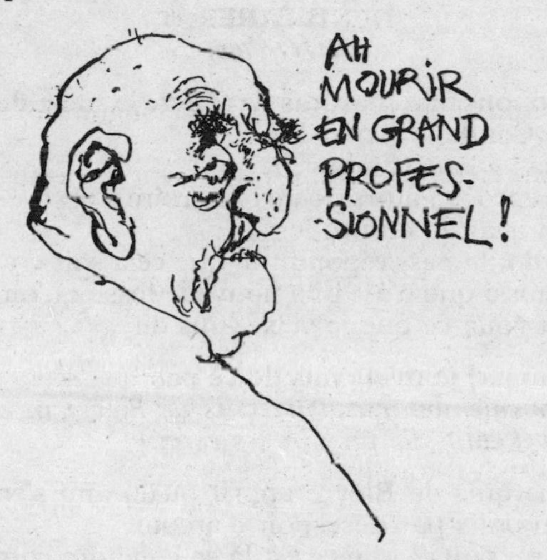


---

## GEORG CHRISTOPH LICHTENBERG

*(1742-1799)*

• X. « Vous êtes devenu bien vieux ! »
Y. « Oui, c'est généralement le cas quand on vit longtemps. »

• Un tombeau reste toujours la meilleure fortification contre les tempêtes du destin.

---

## LE COMTE de SAINT-GERMAIN

*(?-1784)*

• Il faut réussir un suicide au moins une fois dans sa vie, ne serait-ce que pour éviter de mourir idiot.

---

## GEORGES FRANÇOIS MARESCHAL MARQUIS de BIÈVRE

*(1747-1789)*

• On annonce au marquis de Bièvre la mort du maréchal de Conflans *(1690-1777)*.
Il s'écria : « Fausse nouvelle. »
On lui reprocha alors de ne pas croire à un événement dont on avait la certitude.
« Je ne doute pas, répondit-il, que cela soit vrai ; mais il l'est aussi que c'est une nouvelle fosse qu'on aura à faire, et voilà ce que je veux vous dire. »

• Mes amis ! je m'en vais de ce pas.
*(Dernier calembour du marquis de Bièvre mourant à Spa, où il était allé prendre les eaux.)*

• Le marquis de Bièvre apprit qu'un ami s'était jeté dans un puits par désespoir d'amour.
« Dans un puits ? Mais c'est là se conduire comme un fou !
Le marquis de Bièvre :
— Dites plutôt comme un sot ! »

---

## HONORÉ GABRIEL RIQUETI COMTE de MIRABEAU

*(1749-1791)*

• Presque chaque jour on le provoquait en duel et il répondait : « J'inscris votre provocation sur ma liste, mais je vous avertis que celle-ci est longue et, en principe, je n'accorde aucune faveur. »

## ANTOINE de RIVAROL

*(1753-1801)*

• Un homme, habitué à écrire, écrit aussi sans idées comme un vieux médecin nommé Bouvard qui tâtait le pouls de son fauteuil en mourant.

• On passe la moitié de sa vie à retenir sans comprendre, et l'autre moitié à comprendre sans retenir.

## DUC de TALLEYRAND

*(1754-1838)*

• Enfin il est mort en homme qui sait vivre.

## LOUIS BOURDON

*(1758-1798)*

• Le veuvage est une fête que l'on célèbre seul.

## MAXIMILIEN de ROBESPIERRE
*(1758-1794)*

• La mort est le commencement de l'immortalité.

## FRANÇOIS RENÉ de CHATEAUBRIAND
*(1768-1848)*

• En vain on me dit : « Vous rajeunissez », croit-on me faire prendre pour ma dent de lait ma dent de sagesse?

## GEORGES JACQUES DANTON
*(1759-1794)*

• Nous deviendrons tous poètes, nous allons tous faire des vers...

---

## HENRI BEYLE dit STENDHAL

*(1783-1842)*

- Je trouve qu'il n'y a pas de ridicule à mourir dans la rue, quand on ne le fait pas exprès.

---

## LORD PALMERSTON

*(1784-1865)*

- Lord Palmerson mourut à 81 ans. Quelques instants avant l'échéance, il disait :
« Mourir, c'est la dernière chose que je fais. »

---

## ALPHONSE RABLE

*(1786-1829)*

- La mort, comme un faucheur habile, rase l'herbe la plus courte, et laisse la terre à nu.

- Pensez au matin que vous n'irez peut-être pas jusqu'au soir, et au soir que vous n'irez peut-être pas jusqu'au matin.

- Combien de ceux qui étaient entrés avec moi dans le monde en sont déjà sortis ?

- À quoi a servi à tant d'hommes qui maintenant sont au tombeau, réduits en cendres, d'avoir eu des inimitiés, des soupçons, des querelles ?

- La mort est un bon pasteur, car elle ne perd jamais rien de son troupeau.

## ARTHUR SCHOPENHAUER
*(1788-1860)*

• Le sommeil est un emprunt fait à la mort pour l'entretien de la vie.

## LORD BYRON
*(1788-1824)*

• Si l'on extrait d'une vie la petite enfance (qui est végétative), le sommeil, les repas et la trobote (boutonnage et déboutonnage), que reste-t-il d'existence pure ? L'été d'un loir.

## ALPHONSE de LAMARTINE
*(1790-1869)*

• Ainsi tout change, ainsi tout passe
Ainsi nous-même, nous passons
Hélas
Sans laisser plus de trace
Que cette barque où nous glissons
Sur cette mer où tout s'efface.

**THÉODORE JOUFFROY**
*(1796-1842)*

• Craindre la mort, c'est faire trop d'honneur à la vie.

**ALFRED de VIGNY**
*(1797-1863)*

• Sur la mort de Talleyrand :
Il n'y a, en France, qu'un malhonnête homme de moins.

**HONORÉ de BALZAC**
*(1799-1850)*

• Ainsi, la mort n'est jamais ce qui donne un sens à la vie ; c'est, au contraire, ce qui lui ôte toute signification.

• Le courage des Turcs s'explique par le fait qu'un homme qui a plusieurs femmes est mieux disposé à braver la mort que celui qui n'en a qu'une.

---

## VICTOR HUGO
*(1802-1885)*

• Vivre est une chanson dont mourir est le refrain.

• Sur le livre d'or d'une auberge espagnole misérable, un prêtre avait écrit :
« Où que tu sois mort, songe qu'un jour tu seras mangé par les vers. »
Victor Hugo écrivit après :
« N'oublie pas que tu seras mangé par les puces avant d'être élu par Dieu. »

SUR SHAKESPEARE

• Chexpire, quel vilain nom !
On croirait entendre mourir un Auvergnat.

SUR DUPIN, DONT ON VENAIT D'ÉRIGER LA STATUE

• Mort, il se tient droit, lui qui vécut à plat ventre.

• Enfer chrétien, du feu. Enfer païen, du feu. Enfer mahométan, du feu. Enfer hindou, des flammes. À en croire les religions, Dieu est né rôtisseur.

• Je lègue au pays, non ma cendre,
Mais mon bifteck, morceau de roi.
Femmes, si vous mangez de moi,
Vous verrez comme je suis tendre...

• Je trouve juste, ami, qu'en lisant à voix haute
L'épitaphe où le mort est toujours bon et beau
Ils fassent éclater de rire le tombeau.

---

## ALEXANDRE DUMAS Père
*(1802-1870)*

• « En fumant, vous abrégez votre vie », me dit-on. Je fume depuis l'âge de dix-huit ans, j'en ai soixante-cinq, si je n'avais pas fumé, j'en aurais soixante-dix. je serais bien avancé !

QUATRAIN AU DOCTEUR GISTAL

• Depuis que le docteur Gistal soigne des familles entières, on a démoli l'hôpital... Et l'on a fait deux cimetières.

• L'homme naît sans dents, sans cheveux et sans illusions, et il meurt de même, sans cheveux, sans dents et sans illusions.

---

## JEAN COMMERSON
*(1802-1879)*

• J'aimerais mieux aller hériter à la poste que d'aller à la postérité.

• J'ai toujours considéré une jeune veuve qui pleure son mari comme un bâton de bois vert qu'on a jeté en travers sur le feu : il pleure par un bout, quand le cœur est près de s'enflammer.

• À son lit de mort, l'homme songe plutôt à élever son âme vers Dieu qu'à élever des lapins.

---

## JULES JANIN
*(1804-1874)*

• La plus triste des morts, c'est la mort de la jeunesse.

ORAISON FUNÈBRE POUR SON CHIEN

• Glouton, coureur, méchant,
Lâche et galeux, en somme
Feu mon chien était presque
Un homme.

---

## DELPHINE GAY
*(1804-1855)*

• Il n'y a qu'une date pour les femmes, et à laquelle elles devraient mourir, c'est quand elles ne sont plus aimées.

---

## HENRI MONNIER
*(1799-1877)*

• Un soldat doit
Être prêt à mourir
Pour sa patrie
Même au péril
De sa vie.

---

## AUSONE de CHANCEL
*(1808-1876)*

• On entre, on crie,
Et c'est la vie.
On crie, on sort,
Et c'est la mort.

---

## MARÉCHAL PATRICE de MAC-MAHON

*(1808-1898)*

• La fièvre typhoïde est une maladie terrible : ou on en meurt, ou on en reste idiot. J'en sais quelque chose : je l'ai eue.

---

## ALPHONSE KARR

*(1808-1890)*

• « Que pensez-vous de l'immortalité de l'âme ?
— Je n'y pense qu'une fois par an pour ne pas devenir fou ou imbécile. J'y ai pensé hier, revenez dans un an. »

• Cette semaine deux femmes ayant empoisonné leurs maris avec l'arsenic ont été condamnées par le jury, avec circonstances atténuantes. L'empoisonnement des maris par l'arsenic est fort répandu aujourd'hui : le jury paraît le considérer comme une mauvaise habitude. Qui est-ce qui aujourd'hui ne donne pas un peu d'arsenic à son mari ?

• Le docteur X, auquel la mort vient d'enlever un de ses clients, a reçu il y a quelques jours une fort belle montre en or. Dans l'intérieur de la boîte, on a fait graver ces mots : « Au docteur X, les héritiers reconnaissants. »

• La première partie de la vie se passe à désirer la seconde ; la seconde à regretter la première.

• Ma jeune âme, un beau soir, curieuse, étourdie,
Du paisible néant imprudemment sortit,
Et gagna cette maladie
Qu'on appelle la vie
Mais dont avec le temps tout le monde guérit.

• Il ne faut pas attribuer à la vieillesse tous les défauts des vieillards.

---

**XAVIER FORNERET**

*(1809-1884)*

• Le cercueil est le salon des morts : ils y reçoivent des vers.

• Malade, on voulut lui faire venir un médecin et il déclara :
« Non, je veux un fossoyeur, car je déteste les intermédiaires. »

• Les cimetières sont des portefeuilles où toutes les valeurs humaines en s'y plaçant se réduisent à zéro.

### THÉOPHILE GAUTIER
*(1811-1872)*

• Peu avant sa mort, on lui dit :
« Mon cher Maître, vous êtes solide comme un chêne. »
Il répondit :
« Pour le tronc, ça va ; c'est le gland qui m'inquiète ! »

• Le mariage est une maladie qui ne guérit que par la mort d'un des deux époux.

### FRANZ LISZT
*(1811-1886)*

• « Pourquoi n'écrivez-vous pas l'histoire de votre vie ?
— C'est bien assez de la vivre. »

### GIUSEPPE VERDI
*(1813-1901)*

• Un écrivain disait à Verdi :
« Ce n'est qu'après ma mort qu'on découvrira l'homme que j'étais !

— Tant mieux, tant mieux pour vous à ce moment-là, vous ne risquerez plus rien. »

• Je désire des funérailles simples.
Ni chants, ni musique !
J'en ai assez entendu de mon vivant !

---

**EUGÈNE LABICHE**
*(1815-1888)*

• Son épouse était si autoritaire qu'il avait rédigé son testament en commençant par ces mots :
« Voici mes premières volontés... »

• Dès que le cœur d'un grand homme cesse de battre, on donne son nom à une artère.

---

**GÉNÉRAL LOUIS TROCHU**
*(1815-1896)*

• « Cet officier a survécu à sa mortelle blessure. »

## PRIVAT d'ANGLEMONT
*(1815-1859)*

• Privat d'Anglemont passa une partie de sa vie à l'hôpital ; à plusieurs reprises on annonça son décès. Un soir, il rencontra un de ses créanciers.
« Tiens, je vous croyais au Père-Lachaise. »
Privat d'Anglemont :
« Vous ne vous êtes pas trompé. Seulement, comme il faisait très beau aujourd'hui, le gardien m'a permis de sortir. Mais j'ai promis de rentrer avant dix heures. »

## LECONTE de LISLE
*(1818-1894)*

• J'ai vécu, je suis mort,
Inerte, blême, au fond d'un lugubre entonnoir.
Je descends d'heure en heure, d'année en année,
À travers le Muet, l'Immobile et le Noir.

## FÉLIX TOURNACHON dit NADAR
*(1820-1910)*

• Dernière parole du célèbre photographe :
« Je sens venir tout de bon le moment de dire : Ne bougeons plus. »

## GUSTAVE FLAUBERT

*(1821-1880)*

- Il est doux de songer que je servirai un jour à faire croître des tulipes.

- Ce qui me console de la vie, c'est la mort, ce qui me console de la mort, c'est la vie.

- Si les morts songent à quelque chose dans leur tombeau, c'est à gagner sous terre la tombe qui est proche, pour soulever le suaire de la trépassée et se mêler à son sommeil.

- La contemplation d'une femme me fait songer à son squelette.

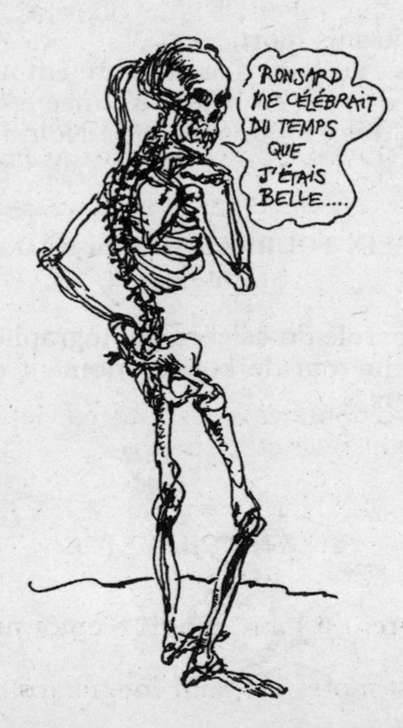

## PIERRE DUPONT

*(1821-1870)*

• J'aime Jeanne, ma femme, eh bien ! j'aimerais mieux la voir mourir, que de voir mourir mes bœufs.

## EDMOND et JULES de GONCOURT

*(1822-1896) — (1830-1870)*

• Se soigner ?
À quoi bon ?
Je durerai peut-être moins que mes maladies.

• L'avarice du paysan va jusqu'à l'économie du linceul.
Il craint que sa mort ne lui coûte trop cher.
Il achèterait au rabais, s'il le pouvait, les vers du tombeau.

• C'était une bonne chose que cette habitude ancienne de transmission des portraits de famille.
Les morts n'étaient enterrés que jusqu'à la ceinture.

• Qu'est-ce que la vie ? L'usufruit d'une agrégation de molécules.

## DUMAS Fils

*(1824-1895)*

• Celui qui se donne la mort est une victime qui rencontre son bourreau et le tue.

## EUGÈNE CHAVETTE

*(1827-1902)*

• Pépin le Bref est mort depuis bientôt mille ans.
Moralité :
Quand on est mort c'est pour longtemps.

## LÉON TOLSTOÏ

*(1828-1910)*

• Quand j'aurai les trois quarts du corps dans la tombe, je dirai ce que je pense des femmes, puis je rabattrai vivement sur moi la dalle du caveau.

## HIPPOLYTE TAINE

*(1828-1893)*

• À force d'aller au fond de tout, on y reste.

## FERNAND DESNOYERS

*(1828-1869)*

• Proclamation contre Casimir Delavigne :
« Il est des morts qu'il faut qu'on tue. »

---

## HENRI de ROCHEFORT-LUÇAY
## dit HENRI ROCHEFORT
*(1831-1913)*

• Si haut qu'on monte, on finit toujours par des cendres.

---

## VICTORIEN SARDOU
*(1831-1908)*

• Si vous avez à choisir entre demeurer avec votre belle-mère ou vous brûler la cervelle :
N'hésitez pas, brûlez-la-lui.

---

## JULES VALLÈS
*(1832-1885)*

• La mort n'est pas une excuse.

---

## AURÉLIEN SCHOLL
*(1833-1902)*

• D'un homme dont l'haleine était particulièrement forte, il déclara :
« Je savais qu'il avait été exécuteur testamentaire, mais j'ignorais qu'il avait mangé le cadavre. »

• Ah ! mon cher ami, que je suis content de vous revoir. Imaginez-vous qu'on m'avait dit que vous étiez mort et il m'a été impossible d'aller à votre enterrement. J'espère que vous ne m'en voudrez pas.

• Quel besoin de se venger d'une femme ?
La nature s'en charge, il n'y a qu'à attendre.

• Non, je ne crains pas la mort. Seulement, je trouve que la Providence a mal arrangé les choses. Ainsi je préférerais de beaucoup qu'on enterre mon âme et que ce soit mon corps qui soit immortel.

---

**SAMUEL LANGHORNE CLEMENS dit MARK TWAIN**

*(1835-1910)*

• Efforçons-nous de vivre de telle sorte que, quand nous ne serons plus, le croque-mort lui-même pleure à notre enterrement.

• Le lit est l'endroit le plus dangereux du monde : Quatre-vingt-dix pour cent des gens y meurent.

LETTRE DE RECOMMANDATION DE MARK TWAIN

• Mon cher ami,
Je vous envoie M. Untel, faites ce qu'il vous demande ou tuez-le, cela m'est bien égal.
Bien à vous.
P.S. : Si vous choisissez de le tuer, ayez la bonté de m'en informer pour que je puisse prévenir sa famille.

• Aux obsèques du Président Gibson, le cortège avait à peu près trois kilomètres de longueur, ainsi d'ailleurs que le magnifique sermon du pasteur Smith, dont nul ne peut se vanter d'avoir connu la fin.

• Faites attention, lorsque vous lisez des livres sur la santé, vous pourriez mourir d'une faute d'impression.

• On pourrait citer de nombreux exemples de dépenses inutiles. Les murs des cimetières : ceux qui sont dedans ne peuvent pas en sortir, et ceux qui sont à l'extérieur ne veulent pas y entrer.

• Un jour, mon berceau fut placé à côté de celui d'un autre enfant. L'un de nous deux mourut. Depuis, je ne sais pas lequel est vivant : lui ou moi ?...

• Un journal annonce la mort de Mark Twain qui écrivit peu après :
« Le bruit de ma mort me semble exagéré. »

• Le fait de fumer m'a sauvé la vie. Figurez-vous, en effet, qu'à chaque fois que je vais mal, le médecin me supprime le cigare. Et je guéris ! Mon Dieu, où en serais-je si je n'avais pas fumé le cigare !...

### ORDRE DE PRÉSÉANCE DES PERSONNES À SAUVER EN CAS DE NAUFRAGE D'UN PAQUEBOT

• 1. (en priorité) les jeunes filles, jeunes veuves et jeunes divorcées.
2. Les femmes mariées encore jeunes.
3. Les veuves fortunées (âge indifférent).
4. Les enfants (tout de même !).
5. Les citoyens comme vous et moi.
6. Les officiers, les banquiers et les ecclésiastiques.
7. Les percepteurs, douaniers et autres collecteurs de taxes.
8. Les sénateurs.

9. Les belles-mères.
10. Les maîtres d'hôtel de restaurants de luxe.
11. Les raconteurs d'histoires drôles dans les banquets.
12. Enfin, les maris des jeunes femmes mariées dont il est question au 2.

---

**SAMUEL BUTLER**
*(1835-1902)*

• L'homme est le seul animal qui soit l'ami des victimes qu'il se propose de manger.

• Chaque homme est immortel. Il peut savoir qu'il va mourir mais il ne saura jamais qu'il est mort.

---

**HENRY BECQUE**
*(1837-1899)*

• L'homme bien élevé vit chez sa maîtresse et meurt chez sa femme.

---

## ARMAND PRUDHOMME dit SULLY PRUDHOMME
*(1839-1907)*

• Tous, même les morts, ont fui jusqu'au dernier !

---

## JOAQUIM MARIA MACHADO de ASSIS
*(1839-1908)*

• Nous tuons le temps mais il nous enterre.

---

## GEORGES CLEMENCEAU
*(1841-1929)*

• Les femmes vivent plus longtemps que les hommes, surtout quand elles sont veuves.

En parlant d'Aristide Briand *(1862-1932)* :
• Même quand j'aurai un pied dans la tombe, j'aurai l'autre dans le derrière de ce voyou.

• Lorsqu'il était mourant, la presse publiait un bulletin de santé quotidien avec, un matin, cette coquille : « Le vieux persiste. » (au lieu de : « Le mieux persiste. »)

• À la mort du peintre Monet : « Non, pas de noir sur Monet. Le noir n'est pas une couleur. »

• Sur la mort du président Félix Faure *(1841-1898)* : « Ça ne fait pas un Français en moins, mais une place à prendre. »

À propos de Georges Mandel *(1885-1944)* :
• Il n'a pas d'idées, mais il les défendrait jusqu'à la mort.

• Un proche collaborateur de Georges Clemenceau venait de mourir. Un candidat à la succession lui dit : « Je suis tout prêt à prendre sa place.
— Entendu ! lui répondit Clemenceau, vous n'avez qu'à vous arranger avec les pompes funèbres ! »

• Les cimetières sont pleins de gens irremplaçables, qui ont tous été remplacés.

• Georges Clemenceau, durant les derniers jours de sa vie, disait à son médecin : « C'est bien entendu, n'est-ce pas ? Pour mes obsèques, je ne veux que le strict nécessaire.
— Mais, monsieur le Président, qu'entendez-vous au juste par le strict nécessaire ?
— Moi. »

---

**FÉLIX FAURE**
*(1841-1899)*

• Le directeur de *L'Aurore*, qui n'avait pas grande estime pour Félix Faure, le président disparu, disait de lui :
« En entrant dans le néant, il a dû se sentir chez lui ! »

• Félix Faure vient de mourir dans les bras de Mme Steinheil. Un ministre accourt :
« Le Président a-t-il sa connaissance ?
— Non, elle est sortie par la porte du fond. »

## FRANÇOIS COPPÉE
*(1842-1908)*

• Pomairolo, candidat à l'Académie française, préférait faire faire « ses visites » par sa femme. Elle vint trouver François Coppée : « Oh, Maître, je vous en prie, votez pour mon mari, s'il n'est pas élu, il va en mourir. »
Coppée vota pour Pomairolo, mais il ne fut pas élu et il décida de reposer sa candidature. Coppée répondit à madame Pomairolo : « Ah ! non, madame, ne me demandez pas de voter pour votre mari. Moi, j'ai tenu ma promesse, lui, il n'a pas tenu la sienne, je me considère comme délié de tout engagement. »

## AMBROSE GWINNETT BIERCE
*(1842-1914)*

• Cadavre : Produit fini dont nous sommes la matière première.

• Cimetière : Coin de banlieue isolé où les parents du disparu rivalisent de mensonges, où les poètes écrivent à la cible, et où les tailleurs de pierre prennent l'orthographe pour objet de leurs paris.

• Bourreau : Dans certains États d'Amérique, ses fonctions sont désormais assurées par un électricien.

• Condoléances : Manière de démontrer que le deuil est un moindre mal à côté de la sympathie.

## ANATOLE FRANCE
*(1844-1924)*

• Les vieillards tiennent beaucoup à leurs idées. C'est pourquoi les naturels des îles Fidji tuent leurs parents quand ils sont vieux : ils facilitent ainsi l'évolution, tandis que nous en retardons la marche en faisant des académies.

---

**TRISTAN CORBIÈRE**
*(1845-1875)*
ÉPITAPHE

• Sauf les amoureux commençants ou finis qui veulent commencer par la fin, il y a tant de choses qui finissent par le commencement, que le commencement commence à finir par être à la fin, la fin en sera que les amoureux et autres finiront par commencer et recommencer par ce commencement qui aura fini par n'être que la fin retournée ce qui commencera par être égal à l'éternité qui n'a ni fin ni commencement et finira par être aussi finalement égal à la rotation de la terre où l'on aura fini par ne distinguer plus où commence la fin d'où finit le commencement ce qui est toute fin de tout commencement égale à tout commencement final de l'infini défini par l'indéfini. — Égale une épitaphe égale une préface et réciproquement.

---

## PAUL MASSON
*(1846-1896)*

• Les gens bien doués sont condamnés d'avance à brûler plus longtemps que les autres dans le purgatoire, étant plus riches en phosphore.

---

## LÉON BLOY
*(1846-1917)*

• Surtout, il ne faut pas que la mort soit douce.
Si, par exemple, Zola mourant peut dire avec sérénité : « Je n'ai reçu dans ma vie que soixante mille coups de pied au derrière et je n'ai pas été défoncé. Je m'éteins comme un flambeau et je vais fumer longtemps sur une sale postérité. » — Si Zola ou quelque autre prince de la crapule peut crever dans cette paix auguste, tout est perdu.

---

## PAUL DÉROULÈDE
*(1846-1914)*

• En avant ! tant pis pour qui tombe,
La mort n'est rien. Vive la tombe,
Quand le pays en sort vivant.
En avant !

---

## JEAN RICHEPIN
*(1849-1926)*

• Si j'étais immortel, j'inventerais la mort pour avoir du plaisir à vivre.

---

## GERMAIN NOUVEAU

*(1851-1920)*

• Moi, l'enterrement qui m'enlève,
C'est un enterrement d'un sou.
Je trouve ça chic! Oui, mon rêve
C'est de pourrir, comme une fève,
(...) Vraiment, je me fais une fête
D'être enfoui comme un pois vert.

---

## OSCAR WILDE

*(1856-1900)*

• En découvrant les honoraires de son médecin, il déclara : « Docteur, je meurs au-dessus de mes moyens. »

• Si la vie avait une seconde édition, ah! comme je corrigerais les épreuves!

• Les missionnaires, mon cher ! Ne voyez-vous pas que les missionnaires sont une nourriture dispensée par la Providence aux cannibales indigents et sous-alimentés ? Chaque fois qu'ils sont sur le point de mourir de faim, le Ciel, dans sa miséricorde infinie, leur envoie un gentil missionnaire dodu.

• Perdre l'un de ses parents peut être regardé comme un malheur. Perdre les deux ressemble à de la négligence.

---

## LAURENT TAILHADE
*(1854-1919)*

• Il avait perdu un œil et recevait sans cesse des apitoiements. Il répondit un jour : « Enviez-moi au contraire, quand je mourrai, je n'aurai qu'un œil à fermer. »

---

## ROBERT de MONTESQUIOU
*(1854-1921)*

• Les veufs pleurent le plaisir qu'ils avaient à tromper leur femme.

---

## ALPHONSE ALLAIS
*(1855-1905)*

• Il est très curieux de constater que, dans l'armée, les statistiques le prouvent, la mortalité augmente bizarrement en temps de guerre.

• « À l'éternel féminin ! » comme disait le monsieur dont la belle-mère n'en finissait pas de mourir.

• Impossible de vous dire mon âge, il change tout le temps !

• Dieu a sagement agi en plaçant la naissance avant la mort, sans cela on ne saurait rien sur la vie.

• On a beau dire, plus ça ira, et moins on rencontrera de gens ayant connu Napoléon.

• Allais composa une « marche funèbre » ; on n'y entendait que quelques soupirs car, disait-il : « Les grandes douleurs sont muettes. »

• Partir, c'est mourir un peu... mais mourir, c'est partir beaucoup.

• Et Jean tua Madeleine... Ce fut à peu près à cette époque que Madeleine perdit l'habitude de tromper Jean.

• Plan pour utiliser sa belle-mère : le plan consiste à la mettre sur une plaque de verre et à attendre que l'orage arrive : à ce moment-là, si Dieu est bon, elle est foudroyée ; elle se trouve réduite en noir animal, qu'on peut alors utiliser pour coller son vin. Et l'on s'écrie en claquant ses doigts : « Elle avait du bon, le tout était de trouver la manière de s'en servir ! »

• Pourquoi les académiciens se disent-ils immortels, alors qu'ils ne dépassent jamais la quarantaine ?

• Ah ! le vieux rêve des gens honnêtes : pouvoir tuer quelqu'un en état de légitime défense.

• Il ne faut pas croire que les suicidés sont les habitants de la Suisse.

• Ma femme est très malade, il paraît même qu'elle ne va pas passer la nuit.
Alors, il m'est venu l'idée d'enterrer joyeusement ma vie de mari.

### À L'ENTERREMENT

• « Tous les religieux de son abbaye accompagnèrent le convoi dans l'ordre qui suit : le père Foreur commençait la marche ; venait ensuite le père Suasif, le père Igor, le père Manant, le père Fide, le père Sévérant, le père Uquier, le père Nicieux et enfin le père Sécuteur. Le père Clus suivait de loin, à cause de ses infirmités, de même que le père Pendiculaire, à cause de son grand âge. Lorsque le convoi fut arrivé, le père Sonnage fit retentir toutes les cloches, le père Messe commença le service, le père Soreille toucha de l'orgue et le père Pétuel joua du basson ; on chanta un hymne de la composition du père Vers et le père Oquet prononça l'oraison funèbre. Le soir, on donna un repas, où l'abbé Daine et l'abbé Gueule furent invités ; on les pria d'amener avec eux l'abbé Casse et l'abbé Cassine, sans oublier l'abbé Quée, l'abbé Trave et l'abbé Toine. L'abbé Tise et l'abbé Vue, qui n'avaient point été priés, s'y trouvèrent cependant, ainsi que d'autres amis du défunt, tels que l'ami Taine, l'ami Nute, l'ami Graine et l'ami Traille. Après souper, le père Sifleur joua du flageolet et l'abbé Attitude dansa une allemande avec une jeune dame polonaise. »

• AVIS IMPORTANT :
La bonne de Gaston mentait tellement
Que le pauvre aima mieux trancher sa destinée.
Morale :
Les personnes dont la bonne ment
Expirent avant la fin de l'année.

• Il venait de toucher l'héritage d'un oncle :
« Mon oncle et moi sommes entrés dans une vie meilleure. »

• L'employé des pompes funèbres demandait à la veuve si on brûlerait son mari qu'on devait incinérer, dans un four français ou un four italien :
« Oh ! monsieur, le four français ! Mon mari ne pouvait pas sentir la cuisine italienne ! »

• Monsieur le Rédacteur en chef,
Au nom des honnêtes gens de tous les partis, merci à vous qui sûtes si bien, la semaine dernière, dévoiler le dangereux manège de ces macabres industriels qui vivent de la mort. Y a-t-il un remède à ce triste état de choses ?
Oui, monsieur, il y a un remède et il n'y en a qu'un, un seul que voici : la suppression des pompes funèbres...
... Mon idée à moi est tout autre : je rêve de me débarrasser des cadavres en les faisant dévorer par des lions.
Avouez que la cérémonie mortuaire ainsi comprise ne manquerait pas de pittoresque et même de grandeur.
Le seul inconvénient de mon système — je n'hésite pas à le reconnaître — c'est que, le lion éprouvant une horreur insurmontable pour la viande un peu faite, il serait préférable de lui fournir le sujet quelques heures avant son dernier soupir (quelques jours même si possible).

• Je me suis toujours demandé si les gauchers passaient l'arme à droite.

## SIGMUND FREUD

*(1856-1939)*

• Ne jamais être nés, voilà l'idéal pour les mortels ! Mais à peine si cela arrive à un sur cent mille !

• Le fait est qu'il nous est absolument impossible de nous représenter notre propre mort et, toutes les fois que nous essayons, nous n'apercevons que nous en spectateur... Au fond, personne ne croit à sa propre mort, et dans son inconscient, chacun est persuadé de son immortalité.

• Je ne m'intéresse pas du tout à la vie après la mort !

---

**BERNARD SHAW**
*(1856-1950)*

• La jeunesse, quelle chose merveilleuse, quel crime de la laisser gaspiller par les enfants !

• La mort ne m'impressionne pas, j'ai moi-même, en effet, l'intention bien arrêtée de mourir un jour.

• L'avenir du théâtre est sombre. Shakespeare est mort, Molière est mort, et moi-même je ne me sens pas très bien.

• Mieux vaut finir sa vie dans les bras d'une femme que dans les deux bras d'un fauteuil.

• Les vieillards sont dangereux : ils se moquent bien de ce qui peut arriver après eux.

• Shaw qui était végétarien écrivait :
La mort est préférable au cannibalisme.
Mon testament contient des instructions pour que mes funérailles soient suivies non par des voitures de

pompes funèbres mais par des troupeaux de bœufs, de brebis, de porcs, des cohortes de poulets, et un petit aquarium à roulettes contenant des poissons vivants, tous portant une écharpe blanche en honneur de l'homme qui préféra mourir plutôt que de manger ses compagnons.

---

## ALFRED CAPUS

*(1857-1922)*

• Tout s'arrange dans la vie, même mal.

• On lui demande :
« De quoi est-il mort ? »
Capus répond :
« De toute façon, on ne savait déjà pas de quoi il vivait. »

• À Paris, ce qu'on appelait autrefois l'âge mûr tend à disparaître. On reste jeune très longtemps, puis on devient gâteux.

• L'autre jour, nous nous rendions au restaurant, un ami et moi, quand nous vîmes un malheureux étendu sur le bord de la route. Personne n'avait songé à lui porter secours. Eh bien, quand nous sommes sortis du restaurant, il était toujours là.

• « Depuis combien de temps êtes-vous veuve ?
— Depuis douze ans.
— Est-ce que vous regrettez votre mari ?
— Pas encore. »

• « Il est arrivé !...
— Oui, mais dans quel état ! »

• Une dame d'un certain âge dit à Capus qu'elle avait le pressentiment qu'elle mourrait jeune.
Capus lui répondit :
« Eh bien ! vous voilà rassurée maintenant ! »

---

**GEORGES MOINAUX dit GEORGES COURTELINE**
*(1858-1929)*

• « Je veux être enterré avec une brosse à habits.
— Pourquoi ?
— Pour quand je tomberai en poussière. »

• Si ma femme doit être veuve un jour, j'aime mieux que ce soit de mon vivant.

• L'alcool tue lentement : on s'en fout, on n'est pas pressé.

• À 50 ans, on a 10 ans de plus qu'à 40.
À 60 ans, 20 ans de plus qu'à 50.
À 70 ans, 40 de plus qu'à 60.

• On lui demanda :
« Croyez-vous à la vie future ? »
Courteline répondit :
« J'y crois tous les jours où je suis malade. Je n'y crois pas les jours où je me porte bien. »

---

## JÉRÔME KLAPKA dit JÉRÔME K. JÉRÔME
*(1859-1927)*

• « Il n'y a pas de bonheur parfait ! » dit l'homme quand sa belle-mère mourut et qu'on lui présenta la note des pompes funèbres.

---

MAURICE DONNAY

*(1859-1945)*

• Ne vous hâtez jamais, ainsi vous ne rendrez le dernier soupir qu'à la dernière minute.

---

ELBERT HUBBARD

*(1859-1915)*

• Ne prenez jamais la vie trop au sérieux : de toute façon, vous n'en sortirez pas vivant.

---

LUCIEN GUITRY

*(1860-1925)*

• Hertz, le directeur d'un théâtre, se confiait à Lucien Guitry :
« Maître, votre fils... m'a dit une chose affreuse : "Je n'irai pas à votre enterrement !" »
Lucien Guitry répondit :
« Ah ! ce n'est pas gentil. Mais, rassurez-vous, moi j'irai ! »

---

JULES LAFORGUE

*(1860-1887)*

• Les morts
C'est discret
Ça dort
Bien au frais.

• J'espère à l'éternullité.

---

**MAURICE MAETERLINCK**

*(1862-1949)*

• Quelqu'un qui, depuis sa naissance, n'aurait jamais vu la mort, à qui l'on n'en aurait jamais parlé, en aurait-il l'idée ?

• Quand on a remonté sa montre, est-ce du temps que l'on crée, ou l'heure de la mort qu'on nourrit ?

• Et s'il m'interroge sur la dernière heure,
Dis-lui que j'ai souri de peur qu'il ne pleure.

• La peur de la mort est l'unique source des religions.

• Ils me font sourire ceux qui parlent sérieusement de leur avenir. Leur avenir est dans la tombe.

• On s'endort enfant et l'on se réveille vieillard. On fait le tour de son berceau et l'on se trouve au bord de sa tombe.

---

**MARCEL PRÉVOST**
*(1862-1941)*

• Je voudrais mourir jeune le plus tard possible.

• Les seules académies vraiment vivantes sont celles où l'on meurt beaucoup.

---

**GEORGES FEYDEAU**
*(1862-1921)*

• Oui, je sais, je suis allé à un enterrement, je ne pouvais pas le remettre.

• « Y a-t-il encore des anthropophages dans ce pays ?
— Non, car nous avons mangé le dernier la semaine dernière. »

---

## GEORGES FOUREST

*(1864-1945)*

### SARDINES À L'HUILE

(extraits)

Sardines à huile fine sans tête et sans arêtes.
(Réclame des sardiniers, *passim*.)

• Dans leur cercueil de fer-blanc
plein d'huile au puant relent
marinent décapités
ces petits corps argentés
pareils aux guillotinés
Sans voix, sans mains, sans genoux
sardines, priez pour nous !

• Épître falote et testamentaire :
« Étendez-moi rigide au fond de cette bière,
placez entre mes mains nos livres décadents :
Laforgue, Maldoror, Rimbaud, Tristan Corbière mais
pas René Ghil : ça me fout mal aux dents ! »

• Que mon enterrement soit superbe et farouche
Que les bourgeois glaireux bâillent d'étonnement
Et que Sadi Carnot, ouvrant sa large bouche
Se dise : Nom de Dieu, le bel enterrement !

---

## JULES RENARD

*(1864-1910)*

• Le comble pour un journaliste, c'est d'être à l'article de sa mort.

• Je vois très bien mon buste sur la place de l'ancien cimetière avec cette inscription : *À Jules Renard, ses compatriotes indifférents.*

• « Il me doit encore quinze francs.
— Vous savez qu'il est mort ?
— Oh ! alors, je lui en fais cadeau. »

• « J'ai perdu un petit cousin, ces jours-ci.
— Et moi, une petite cousine. Nous pouvons parler d'autre chose : nous sommes quittes. »

• Il est si orgueilleux qu'il se suiciderait pour se rendre intéressant.

• Scène possible. L'enfant est mort. La mère et le père sont en larmes. Mais l'amant prend la main de la femme, frappe sur l'épaule du mari et dit :
« Allons, du courage ! Nous en ferons un autre. »

• Je vous croyais mort ! Enfin, ce sera pour une autre fois...

• C'est rudement commode, un enterrement. On peut avoir l'air maussade avec les gens : ils prennent cela pour de la tristesse.

• Pour témoigner que son deuil persiste, elle ne veut se remarier qu'avec quelqu'un qui n'ait pas l'air trop vivant.

• La mort est douce : elle nous délivre de la pensée de la mort.

• Un fossoyeur pioche à côté, on dirait qu'il va planter des morts pour qu'il repousse des vivants.

• Rien ne sert de mourir : il faut mourir à point.

• Que de gens ont voulu se suicider, et se sont contentés de déchirer leur photographie !

• Je commence, quand meurt un homme célèbre, à calculer ce qui me reste à vivre pour vivre autant que lui.

• Si jamais une femme me fait mourir, ce sera de rire.

• « Savez-vous nager ? »
Jules Renard :
« Juste assez pour me retenir de sauver les autres. »

• La vie mène à tout, à condition d'en sortir.

• La mort, ce serait le rêve si, de temps en temps, on pouvait ouvrir l'œil.

• Je n'ai jamais eu la chance de manquer un train auquel il soit arrivé un accident.

• Le grand avantage des médecins quand ils commettent une erreur, c'est qu'ils l'enterrent.

• Sauf complications, il va mourir.

• Rien n'est éternel, pas même la reconnaissance.

• Nous sommes ici-bas pour rire.
Nous ne le pourrons plus au purgatoire ou en enfer.
Et au paradis, ce ne serait pas convenable.

• C'est si ennuyeux, le deuil !
À chaque instant, il faut se rappeler qu'on est triste.

• Il a perdu une jambe en 70, il a gardé l'autre pour la prochaine.

• Je n'ai plus l'âge de mourir jeune.

• *Éloge funèbre :* La moitié de ça lui aurait suffi de son vivant.

- Quand je pense que si j'étais veuf, je serais obligé d'aller dîner en ville.

- À chaque lettre de deuil que je reçois, je m'amuse à remplacer le nom par le mien.

- Il a pour lui l'éternité, montre en main.

- Elle était si menue que si elle avait voulu se pendre, elle n'aurait pas fait le poids.

- La certitude de n'être pas seul qui console même dans un cimetière.

- Quand on croit qu'il y aura beaucoup de monde à un enterrement, on y va, et ça finit par faire beaucoup de monde.

- Quarante-quatre ans, c'est l'âge où l'on commence à ne plus pouvoir espérer vivre le double.

- « Votre mari n'a rien. Il croit qu'il est malade », dit le médecin anglais.
Quelques jours après, pleine de confiance en ce grand médecin, elle vient lui dire : « Mon mari croit qu'il est mort. »

- Suicide : monter au ciel par une corde de pendu.

- Les gens qui se font incinérer s'imaginent que, réduits en cendres, ils échapperont à Dieu.

- La vieillesse arrive brusquement, comme la neige. Un matin au réveil, on s'aperçoit que tout est blanc.

- La mort doit parler de moi : j'ai un glas dans les oreilles.

- Il voyait le moins de personnes qu'il pouvait, afin de s'épargner le plus possible l'ennui des enterrements.

- Pourquoi serait-il plus difficile de mourir, c'est-à-dire de passer de la vie à la mort, que de naître, c'est-à-dire de passer de la mort à la vie ?

• On ne s'habitue pas vite à la mort des autres. Comme ce sera long, quand il faudra nous habituer à la nôtre !

• Jamais je ne demande des nouvelles des absents : je les suppose morts.

• Un peu gêné tout de même de se marier si vite avec sa belle-sœur, il redouble de soins sur la tombe de sa femme.
C'est la mieux entretenue du cimetière.

• Un homme qui suit un enterrement demande à un autre monsieur :
« Savez-vous qui est mort ?
— Je ne sais. Je crois que c'est celui qui est dans la première voiture. »

• Il n'y a plus que la peur de la mort qui les retienne à la vie.

## HENRI de RÉGNIER
*(1864-1936)*

• Le repas, qui, en province, suit ordinairement les funérailles, m'a toujours paru un reste de cannibalisme. On s'y console avec des victuailles, du regret de n'avoir pu manger, vivant, le défunt. (Cité par Tristan Maya dans son *Journal d'humeur*.)

• On lui reprochait, étant vieux, de trop aimer les femmes. « Que voulez-vous, mon cher, on n'est vieux qu'une fois ! »

## YVES MIRANDE
*(1865-1932)*

• Un ami demandait à Yves Mirande où il préférait être enterré :
« Au Père-Lachaise, j'y connais plus de monde. »

• Yves Mirande, fatigué et âgé, à l'enterrement d'un ami :
« Je crois, mon cher, que c'est la dernière fois que je viens ici en amateur. »

• Je ne peux tout de même pas mourir pour mes idées, étant donné que je n'ai pas d'idées.

• Lors des obsèques de Jules Berry, qui était amnésique et qui oubliait fréquemment les textes de ses rôles, Mirande déclara : « C'est bien la première fois qu'on honore sa mémoire ! »

• Gravement malade, il recevait un ami comme lui passionné par le turf :
« Je vais mieux, mais on me donnait déjà comme un partant probable. »

---

## RUDYARD KIPLING

*(1865-1936)*

• Lisant l'avis de son décès dans son journal :
« Monsieur le Directeur,
Comme vous êtes généralement bien informé, cette nouvelle doit être exacte. C'est pourquoi je vous prie d'annuler mon abonnement, qui ne me serait désormais d'aucune utilité. »

---

## ALFRED ERIK LESLIE-SATIE dit ERIK SATIE

*(1866-1925)*

• Si vous voulez vivre longtemps, vivez vieux.

• J'ai failli être tué. Oui, parfaitement. Un peu plus et j'y étais : Comment ? L'homme est si peu de chose !

Sans mon étoile, sans ma bonne place de l'Étoile, j'étais fait, je n'existais plus. À cette heure, je connaîtrais les plaisirs de la tombe et du linceul. Oui, j'ai failli être tué, très lâchement tué par l'ennui.

• Il est mauvais de se noyer après manger.

• Après la guerre de 14-18, Satie va voir Picabia à Tremblay-sur-Mauldre. Parvenu sur la place du village, devant le monument aux morts, il se penche, lit les noms gravés dans la pierre, puis l'air indigné :
« Comment ! dit-il, ils n'ont que ça de morts, ici ? »

• En août 1918, pendant les raids d'avions ennemis sur la capitale, Satie allait frapper à chaque alerte à la porte d'un de ses voisins et disait d'une voix sépulcrale :
« Je viens mourir avec vous. »

• Gravement malade, il est transporté en juin 1925 à l'hôpital Saint-Joseph. La femme d'un ami lui apporte un beau bouquet de fleurs dans sa chambre.
Satie la regarde, perplexe :
« Des fleurs, lui dit-il, mais, chère madame, c'est beaucoup trop tôt ! »

## PAUL BERNARD dit TRISTAN BERNARD
*(1866-1947)*

• Tristan Bernard apprend que quelqu'un s'est tué :
« Sait-on pourquoi il s'est tué ?
— On dit qu'il s'ennuyait beaucoup.
— Quelle drôle de façon de se distraire ! »

• Dans la vie tout a un terme, sauf le loyer qui en a quatre.

• « Que pensez-vous de l'au-delà ?
— Je ne sais pas. J'ai déjà beaucoup à faire avec l'en deçà. Pourtant, si je vais au Paradis, j'y serai bien à cause du climat, mais si je vais en Enfer, j'y retrouverai beaucoup plus de relations. »

### SECOURS À DONNER AUX NOYÉS
(extrait)

• Lorsqu'un individu est tombé à l'eau, la première précaution est de s'assurer s'il est tombé volontairement ou non. S'il s'est jeté de lui-même, ne lui portez pas secours :

1° parce que celui qui attente à sa vie est indigne de toute pitié;
2° parce que si c'est son idée, mieux vaut ne pas le contrarier.
Au cas que cette chute soit due à un accident de canotage, s'abstenir de porter secours; car le sinistré n'avait qu'à ne pas faire d'imprudence et ne pas se risquer sur l'eau sans savoir nager. Ainsi s'acquiert l'expérience.
Il est toujours mauvais de porter secours aux gens qui se noient; dans leur angoisse ils s'attachent à vous, paralysent vos mouvements, et vous entraînent avec eux. Mieux vaut attendre qu'ils soient noyés à point; alors, détacher un bateau et repêcher le corps, car il est alloué 25 francs par corps repêché. Enfin, il ne faut jamais donner à boire à un noyé.

• Tristan Bernard accompagnait dans Paris un écrivain quelque peu imbu de lui-même. Passant devant la maison ornée d'une plaque où vécut Huysmans, il dit :
« Je me demande ce que l'on inscrira au-dessus de ma porte après ma mort...
— Appartement à louer », murmura alors Tristan Bernard.

• « Les affaires, faut pas se plaindre, disait un entrepreneur des pompes funèbres, toujours un petit courant. Ah! s'il n'y avait pas cette pénicilline qui nous fait tant de tort! »

• Quitter ce monde-ci? Mais pour quel avenir?
Cette existence de l'au-delà, quelle est-elle?
Je voudrais m'en aller... Mais serait-ce en finir?
Mon emmerdeuse d'âme est peut-être immortelle?

• Quand on porta aux Invalides les cendres de Napoléon Ier,
On s'aperçut, c'est trop stupide, qu'il n'y avait pas de cendrier!

• Le costume d'académicien coûte cher, trop cher, j'attends qu'il en meure un qui ait ma taille.

• La mort, c'est la fin d'un monologue.

---

**YVES SCANDEL dit ANDRÉ SUARÈS**

*(1866-1948)*

• Le néant, c'est l'univers sans moi.

---

**PAUL-JEAN TOULET**

*(1867-1920)*

• Les violettes sont le sourire des morts.

• Le temps passe. Ah, si on pouvait le regarder passer. Mais hélas, on passe avec lui.

---

**ABEL FAIVRE**
*(1867-1945)*

• « Alors, il s'est vu mourir ?
— Oh ! admirablement. Son lit était en face de la glace ! »

---

**BONI de CASTELLANE**
*(1867-1932)*

• Les femmes ! Ah ! les femmes !
Elles sont comme l'argent. On aimerait pouvoir les jeter par la fenêtre.

---

**PAUL CLAUDEL**
*(1868-1955)*

• La mort est une formalité désagréable, mais tous les candidats sont reçus.

• 80 ans! Plus d'yeux, plus d'oreilles, plus de dents, plus de jambes, plus de souffle! Et c'est étonnant, somme toute, comme on arrive à s'en passer.

• Deux manières de vieillir : l'esprit qui l'emporte sur la chair, ou la chair qui l'emporte sur l'esprit.

• Heureux cet âge de la vie qui s'étend, paisible et fructueux, entre les noces d'argent dont le vieillard a eu la possession et les noces d'or dont il médite la promesse.

• Mon Dieu, je suis tellement occupé à vous regarder que je crains d'en oublier de mourir.

• À mesure que je m'en éloigne, ma vie passée se dessine comme une île.

• Je suis en pourparlers avec la mort, je pèse ses propositions.

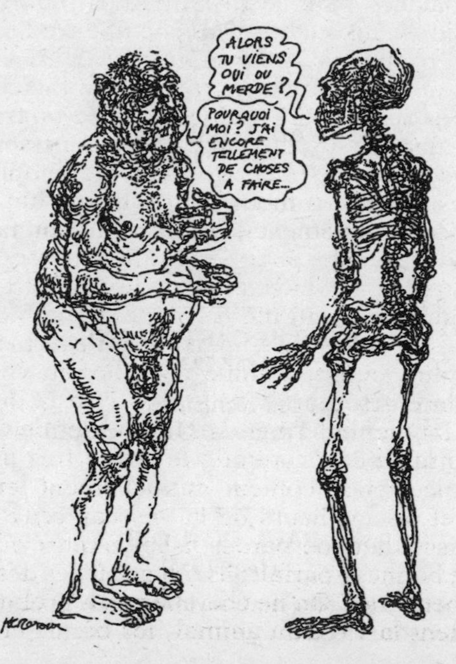

## ASLAN

*(1868-?)*

• « Je ne saurais trop le répéter, il est tout à fait inutile de prolonger d'un jour l'existence humaine. Importe-t-il donc que la vie moyenne de l'homme soit de trente-trois ans, ce qu'elle était jadis quand on a commencé à faire des statistiques, ou qu'elle soit maintenant de trente-cinq ans ou de trente-sept ans, dans nos contrées européennes, grâce à la soi-disant science de nos esculapes modernes ? Est-il bien amusant de voir des rachitiques et des scrofuleux se promener avec leurs plaies, ou des poitrinaires avec leurs expectorations, ou des vieillards gâteux... ? Il aurait beaucoup mieux valu qu'ils partissent plus jeunes ou moins malades pour le royaume des ombres et des suppositions, auxquelles s'attache une tradition, dont personne n'a jamais su démontrer la réalité. Pourquoi vis-je, par exemple, à mon âge, moi vieillard de soixante et dix années ? N'ai-je pas assez ou trop vécu ? Certainement, je ne peux faire plaisir à personne ; que de plus jeunes et de plus vigoureux me remplacent ; je crains le moindre courant d'air, qui me fait attraper une conjonctivite aux yeux ou bien un rhume de cerveau peu agréable pour les autres, parce qu'il est contagieux ; je ne puis plus produire l'effort ou la somme de travail qui me permette de me nourrir ; je vis donc sur mon passé, mais il vaudrait bien mieux que de plus jeunes, comme ma fille, en vivent tout seuls ! Place aux jeunes ! telle doit être la devise ; les vieux, il faut les enfermer dans des asiles de vieillards, où ils comptent en commun le terme très proche de leurs années et se content mutuellement leurs souffrances et les malheurs de la vie, car ceux qui sont hospitalisés dans de pareils asiles n'ont évidemment pas eu le bonheur parfait ; ils ont goûté les désillusions et les amertumes. On ne cherche pas à prolonger artificiellement la vie d'un animal ; les bœufs et les poulets on les tue jeunes pour que la viande ne soit pas trop coriace ; la viande durcit avec l'âge, et, comme le cerveau n'est autre chose qu'un morceau de viande, il est naturel qu'il durcisse aussi, et ne soit pas si élastique que dans la jeunesse de la caboche qui le contient ; comme on prétend que la pensée vient de la vigueur du cerveau, et que les idiots ont un cerveau plus petit que celui de ceux que l'on nomme les grands hommes, il est tout naturel qu'un cerveau vieux et endurci ne soit plus bon à grand-chose ; il est vrai que certaines personnes conservent longtemps leurs jambes, d'autres leurs poumons, quelques-uns leur cœur, il se peut donc aussi que d'autres aient conservé un peu mieux leurs facultés mentales, mais bien rares ceux qui promènent leur intelligence à travers la vie dans une heure tardive de leur pauvre et piteuse existence ! »

Extrait de *L'Homme nature* publié en 1924
(cité par Tristan Maya dans son *Journal d'humeur*)

---

## LÉON BRUNSCHVICG

*(1869-1944)*

• Si l'on tient à sa santé, lire un dictionnaire de médecine : on s'estimera heureux si l'on peut réussir à ne mourir que d'une seule maladie à la fois.

---

## ANDRÉ GIDE

*(1869-1951)*

• À la mort d'André Gide, on pouvait lire dans le journal *L'Humanité* qui ne l'appréciait guère :
« C'est un cadavre qui vient de mourir. »

## AUGUSTE DETEUF

*(1870-?)*

• Un bel enterrement n'est pas une improvisation, il faut y penser toute sa vie.

## MARCEL PROUST

*(1871-1922)*

• Pour une femme tout événement, même un deuil, se termine par un essayage.

• Les vivants ne sont que des morts qui ne sont pas encore entrés en fonction.

• Nulle part il ne germe autant de fleurs, s'appelassent-elles « Ne m'oubliez pas », que dans un cimetière.

• Passé un certain âge, la mort de nos proches est la seule manière dont nous prenons agréablement conscience de notre existence.

---

**PAUL VALÉRY**
*(1871-1945)*

• La mort nous parle d'une voix profonde, mais pour ne rien dire.

• Les grands hommes meurent deux fois : une fois comme hommes, une fois comme grands.

---

**PAUL LÉAUTAUD**
*(1872-1956)*

• Si je deviens centenaire, je me lèverai chaque matin pour lire les faire-part nécrologiques des journaux, si mon nom n'y est pas, je retournerai me coucher.

• On me demandait l'autre jour :
« Qu'est-ce que vous faites ?
— Je m'amuse à vieillir, répondis-je. C'est une occupation de tous les instants. »

• Ce qu'il est difficile de devenir octogénaire ! Après, il n'y a plus qu'à se laisser vivre.

• La vie est si plate que c'est souvent une distraction d'apprendre la maladie, puis la mort de quelqu'un qu'on connaît.

• Obsèques de Huysmans.
Convoi sous la pluie.
Un vrai enterrement de naturaliste.

• Dire qu'il faudra partir un jour, alors que tant de gens continueront à faire l'amour.

• Je viens encore de voir la mort de près, signe que l'on vieillit quand le nombre de nos morts augmente.

• Eux, ils sont morts, c'est-à-dire ils ne sont plus rien. Pleurer sur eux ne rime à rien.

• Un souffle, une caisse. Un peu de musique d'église. Un trou. Un peu de terre par-dessus. Et bonsoir.

## ROBERT de FLERS

*(1872-1927)*

• Robert de Flers venait de perdre un ami :
« La seule chose qui me console un peu, c'est d'avoir tant de chagrin. »

## ÉDOUARD HERRIOT

*(1872-1957)*

• Maintenant que je suis vieux, lorsque je parcours un cimetière, j'ai l'impression de visiter des appartements.

## CHARLES PÉGUY

*(1873-1914)*

• Heureux ceux qui sont morts dans une juste guerre.

## ALFRED JARRY
*(1873-1907)*

- Elle est claquée !
Tu penses bien que si elle m'avait légué sa fortune, j'aurais dit :
« Elle est décédée. »

- Les vieillards, il faudrait les tuer jeunes.

## SIR WINSTON LEONARD SPENCER CHURCHILL
*(1874-1965)*

- « Monsieur, si j'étais votre épouse, je mettrais du poison dans votre café.
— Madame, si j'étais votre mari, je le boirais. »

## HERBERT CLARK HOOVER
*(1874-1964)*
*Président des États Unis de 1929 à 1933 et inventeur de l'aspirateur-balai.*

- Tu n'es que poussière et tu retourneras à la poussière.
*(Texte adapté de la Bible)*

---

## HARRY J.-C. GRAHAM (Colonel D. STREAMER)

*(1874-1936)*

### INNOCENTE PLAISANTERIE

• Ce matin-là mon fils Gustave
Était d'humeur primesautière.
Comme un passant lui demandait, l'air grave,
Un raccourci pour le cimetière
Le plus proche, ce farceur de Gus
L'a poussé sous un autobus.
J'ai vraiment bercé sur mon sein
Un véritable boute-en-train.

---

## RAINER MARIA RILKE

*(1875-1926)*

• Au médecin venu lui faire des piqûres pour le soulager, Rainer Maria Rilke dit : « Non, laissez-moi mourir de ma mort à moi. Je ne veux pas de la mort des médecins. »

---

## ANDRÉ SIEGFRIED

*(1875-1959)*

• Un veuf qui se remarie vite, c'est un hommage à la femme qu'il vient de perdre.

---

## VINCENT SCOTTO

*(1876-1952)*

• Marcel Pagnol demanda à Scotto quel âge il avait (Scotto était très âgé) :
« Mon âge, même si je le savais, je ne le croirais pas ! »

## KONRAD ADENAUER
*(1876-1967)*

• Visitant un zoo vers la fin de sa vie, le chancelier Konrad Adenauer fut séduit par les tortues et l'âge exceptionnel de 150 ans qu'elles pouvaient atteindre. Le propriétaire du zoo voulut lui en offrir une jeune en témoignage d'amitié et le chancelier lui répondit : « Je préfère que vous la gardiez ; vous savez ce que c'est : on s'attache à une bête et on est tout chagriné quand elle meurt ! »

## LÉON-PAUL FARGUE
*(1876-1947)*

• Le métier de croque-mort n'a aucun avenir. Les clients ne sont pas fidèles.

• Ayant reçu une lettre d'insultes comportant beaucoup de fautes d'orthographe, il répondit :
« Monsieur, je suis l'offensé, j'ai le choix des armes, je choisis l'orthographe. Donc, vous êtes mort. »

---

## ANATOLE de MONZIE

*(1876-1947)*

● « Les électeurs ne sont jamais contents. Quand leur député est à Paris, ils demandent pourquoi il n'est pas plutôt dans son village. Quand il est dans son village, pourquoi il n'est pas mobilisé. Quand il est mobilisé, pourquoi il n'est pas sur le front. Quand il est sur le front, pourquoi il n'est pas blessé. Quand il est blessé, pourquoi il n'est pas mort. Et quand il est mort, pourquoi il ne répond plus à leurs lettres ! »

---

## FRANCIS PICABIA

*(1879-1953)*

● Il y a certaines plantes qui donnent une fleur et meurent après, je crois que Soupault est de cette espèce végétale.

● Ce qu'il y a de plus beau dans les cimetières, ce sont les mauvaises herbes.

● Pourquoi ne mettrait-on pas ces mots sur un corbillard : « Il est mort parce qu'il ne buvait pas de quinquina Dubonnet » ; ou encore : « Il ne portait pas de chaussures Raoul. » Les gens superstitieux permettraient ainsi de faire fortune à bien des industries nationales.

● Les hommes couverts de croix me font penser à un cimetière.

● Spéculation foncière :
Je veux me livrer, moi aussi, à la spéculation. Je vais construire dans mon jardin un faux cimetière ! Les terrains voisins perdront immédiatement de leur

valeur et je pourrai les acquérir à bon compte. Je n'aurais plus qu'à démolir mon faux cimetière et à aller recommencer ailleurs l'opération !

---

## ALEXANDRE POTHEY
*(XIXe siècle)*

• Le lendemain de son mariage, un homme tua sa femme à son réveil.
Moralité :
La nuit porte conseil.

---

## JACQUES BAINVILLE
*(1879-1936)*

• Les vieux se répètent, et les jeunes n'ont rien à dire, l'ennui est réciproque.

---

## MARANT
*(XIXe siècle)*

• Pour un médecin poète :
Heureux qui reçoit la mort
Des mains du docteur Valère !
Car avant qu'il vous enterre
Par ses vers il vous endort.

---

## JEAN GIRAUDOUX
*(1882-1944)*

• La mort est si ancienne qu'on lui parle en latin.

• « Son cœur ne bat plus.
— Parfait. Rien d'inquiétant dans un mort comme un cœur qui bat. »

• C'est un crime contre l'État, le suicide.
Un suicidé, c'est un soldat de moins, un contribuable de moins.

• Les seuls espaces libres sont les cimetières dont la superficie dépasse presque, dans Paris même, la superficie des jardins. Honneur à la ville qui prévoit plus d'oxygène pour ses morts que pour ses vivants.

---

**PAUL GETTY**
*(1882-1976)*

• Demandez-moi tout ce que vous voulez, sauf de l'argent : c'est le seul souvenir que m'ait laissé mon pauvre père.

• « Patientez, je suis vieux et malade, bientôt vous viendrez danser sur ma tombe. »
L'employé : « Pas de danger, j'ai horreur de faire la queue. »

---

## PIERRE MAC ORLAN
*(1882-1970)*

• Un écrivain, lui, devrait se faire incinérer. On mélangerait ses cendres à la pâte à papier utilisée pour une belle édition posthume.

---

## JAMES JOYCE
*(1882-1941)*

• Il mourut avec un bel avenir derrière lui.

---

## FRANZ KAFKA
*(1883-1924)*

• L'éternité, c'est long, surtout vers la fin.

---

## GEORGES DUHAMEL
*(1884-1966)*

• Les morts n'ont pas de voix, heureusement. Si les morts pouvaient se plaindre, quel cri, quelle clameur. On ne s'entendrait plus vivre.

---

## PIERRE-HENRY CAMI
*(1884-1958)*

• Cami collaborait au *Petit Corbillard illustré*, organe humoristique des pompes funèbres. Dans le numéro I il organisa un Grand Concours des Funérailles : « Devinez quelles seraient les plus belles obsèques de l'année en cours. »
Premier prix... un enterrement de première classe !

• Tout va bien, j'ai déjà un pied dans la tombe et comme je suis sourd, je n'entendrai pas venir ma dernière heure.

## JEAN PAULHAN
*(1884-1968)*

• J'espère vivre jusqu'à ma mort.

## EUGÈNE PELLETAN
*(1813-1884)*

• Dieu est-il mort ? Non, disent-ils.
Pour avoir le droit de mourir, il faut avoir vécu.

## ANDRÉ PRÉVOT
*(1884-1964)*

• Le fuyard est un homme qui n'a pas plus de goût pour la croix de guerre que pour la croix de bois.

• Pharmacien :
Un marchand d'espoir aussi bien pour les héritiers que pour les malades.

## FRANÇOIS MAURIAC

*(1885-1970)*

• Un vieux monsieur, suivi d'une famille attentive, arrachait des herbes autour de son sépulcre, comme ces employés qui vont, chaque dimanche, soigner la maison et le petit jardin où ils prendront leur retraite.

• J'ai beaucoup de mal à comprendre que les autres méritent d'être immortels. La chose ne me paraît indispensable que pour moi.

• Quand on vit plus de 90 ans, on s'aperçoit que les arbres aussi sont mortels.

• J'ai déjà un pied dans la tombe et j'aime pas qu'on me marche sur l'autre.

• Un vieillard endormi, on dirait la répétition générale de l'attaque qui l'emportera.

## SACHA GUITRY

*(1885-1957)*

• J'ai soixante-dix ans, ce n'est tout de même pas mal pour un homme de mon âge.

• On demandait à Sacha Guitry à la fin de sa vie :
« Comment vous portez-vous ?
— On me porte bien », répondit Guitry.

• Faire des concessions ? Oui, c'est un point de vue, mais dans un cimetière.

• Ces mains qui fermeront mes yeux et ouvriront mes armoires.

• Nier Dieu, c'est se priver de l'unique intérêt que peut avoir la mort.

• On apprenait à Sacha le décès d'un de ses amis. Sacha déclara :
« Quelle terrible chose ! Quand je pense combien il m'admirait ! »

• J'ai déchiré le testament que je venais d'écrire, il faisait tant d'heureux que j'en serais arrivé à me tuer pour ne pas trop les faire attendre.

• Quand on aime une femme laide, il n'y a pas de raison que cela use. Au contraire, on l'aimera de plus en plus puisque, si la beauté s'altère avec le temps, la laideur, elle, s'accentue.

• Sa mort l'a fait connaître, il peut revenir maintenant.

• Cet homme, qui, depuis deux ans, dit de moi pis que pendre, est mort hier soir. Je n'en demandais pas tant !
Et d'autre part, je veux espérer qu'ils ne vont pas tous chercher à s'en tirer de cette façon-là !

• Il y a de cela bien des années, je disais à l'une d'elles :
« Pense qu'un jour tous ces tableaux, toutes ces merveilles seront à toi. »
Elle a murmuré :
« Oui, mais... quand ? »

• Une minute de plus, pensez donc, c'est énorme !
Songez qu'en une minute, à ma dernière minute, on peut m'apprendre qu'on vient de découvrir la guérison du cancer : quelle belle mort j'aurais !

• Après une maladie assez grave pendant laquelle Sacha Guitry n'avait pu se faire soigner par son médecin habituel parti en vacances, il dit à celui-ci à son retour :
« Ah ! docteur. J'ai failli vous perdre. »

• Le suicide est un assassinat, car celui qui se tue, tue un homme — et c'est un crime.

• Nous avions un parent pour lequel mon père avait peu d'amitié. Le pauvre homme mourut un jour — et nous l'avons accompagné jusqu'à sa dernière demeure qui était extrêmement éloignée de la précédente. Il avait fallu se lever de grand matin, il faisait extrêmement chaud et nous marchions depuis bientôt une heure, lorsque mon père se tourna vers moi et me dit, à voix basse, d'une inexprimable manière :
« Je commence à le regretter ! »

• À sa cinquième femme :
« Elles ont été mes femmes, vous serez ma veuve. »

---

## JULES ROMAINS
*(1885-1972)*

• La santé est un état précaire qui ne laisse présager rien de bon.

---

## HENRI MONDOR
*(1885-1962)*

• Attention, immortel, on ne l'est que pour la vie.

---

## GROUCHO MARX

*(1890-1977)*

● Je désire être inciníéré et je veux que 10 % de mes cendres soient versées à mon imprésario.

● Ou cet homme est mort, ou ma montre est arrêtée.

---

## ÉMILE HERZOG dit ANDRÉ MAUROIS

*(1887-1967)*

● La vie est courte, même pour ceux qui passent leur temps à la trouver longue.

● La mort ne peut être imaginée, puisqu'elle est absence d'images. Elle ne peut être pensée, puisqu'elle est absence de pensée. Il faut donc vivre comme si nous étions éternels.

● Mais qui donc a dit qu'il était plus facile de mourir pour la femme qu'on aime, que de vivre avec elle ?

---

## ARTUR RUBINSTEIN

*(1887-1982)*

● Je me suis habitué à la mort : un pianiste est un homme déguisé en croque-mort, avec en face de lui, constamment, son piano qui ressemble à un corbillard.

---

## ARTHUR CRAVAN

*(1887-1920)*

● J'aime le lit, c'est le seul endroit où, comme le chat, je puis faire le mort en respirant tout en étant vivant.

## LOUIS JOUVET
*(1887-1951)*

### À FRANÇOIS PÉRIER
*(né en 1919)*

• — Si Molière voyait comment tu joues Don Juan, il se retournerait dans sa tombe.
Réplique de Périer :
— Comme vous l'avez joué avant moi, ça le remettrait en place !

• Si l'administration était bien faite, il n'y aurait pas de Soldat inconnu.

## KARINTHY FRIGYES
*(1887-1938)*

• Plutôt que manger des vers, ma foi, je préfère encore que les vers me mangent.

## GEORGES BERNANOS
*(1888-1948)*

• Désirer la mort en bonne santé, c'est se remplir l'âme de vent, comme un fou qui croit se nourrir à la fumée du rôti.

## PAUL MORAND
*(1888-1976)*

• Le temps ride la peau des hommes et polit celle des pneus.

## JULES BERRY
*(1889-1951)*

• Moi, je ne me ferai jamais sauter la cervelle pour des dettes. D'abord, je n'aurai jamais autant de cervelle que de dettes.

## JEAN COCTEAU
*(1889-1963)*

• Si tu ne veux pas que je meure, ne me parle pas de cyprès.

• À la question : Quelle est votre opinion au sujet du ciel et de l'enfer ?
Cocteau répondit : « Je préfère ne pas vous répondre, vous comprenez, j'ai des amis des deux côtés. »

• La vie est la première partie de la mort.

• Trente ans après ma mort, je me retirerai fortune faite.

• Il demandait leur âge aux vieilles dames. C'était tantôt 70 ans, tantôt 80 ans. Alors, disait-il avec un œil de glace : « Vous n'avez plus longtemps à vivre. »

• Il est vrai que le jaloux ne cesse jamais de l'être et qu'il s'écrierait ensuite :
« Que me fait elle chez les morts ? »

• La mort ne m'aura pas vivant.

---

## ANDRÉ BIRABEAU
*(1890-1974)*

• Les avares font leur testament de mauvaise grâce. Ils n'aiment pas donner, même ce qu'ils ne posséderont plus.

• Comme il faut que je l'aime, pense-t-elle, pour que je souhaite qu'il se tue, si je mourais !

• Le suicide n'est qu'une sortie de secours.

• Mourir c'est à la fois quitter la terre et y pénétrer.

---

**JACQUES DEVAL**
*(1890-1972)*

• Un désespoir d'amour n'est éternel que si l'on meurt tout de suite.

---

**MARY WESTMACOTT dite AGATHA CHRISTIE**
*(1891-1976)*

• Faites comme moi, épousez un archéologue. C'est le seul homme qui vous regardera avec de plus en plus d'intérêt au fur et à mesure que vous vieillirez.

---

**RAMON GOMEZ DE LA SERNA**
*(1888-1963)*

• De l'union d'un veuf et d'une veuve, naît un enfant habillé de deuil.

• La veuve de deux maris a droit à une carte de visite avec un W, c'est-à-dire « double veuve ».

---

**RENÉ DORIN**
*(1891-1969)*

À L'ENTERREMENT DU CHANSONNIER
HENRY FURSY
*(1866-1929)*

• Henry Fursy étant reconnu pour la désinvolture avec laquelle il piquait les idées des autres, René Dorin déclara aux fossoyeurs :
« Ne le mettez pas trop près du voisin, il va lui chiper ses vers. »

## ÉDOUARD DURRANC
*(1892-?)*

• D'un mort qui ne fut jamais riche, Édouard Durranc écrivit : « Nous suivons des cendres dont nous n'avons jamais vu la braise. »

## EMMANUEL BERL
*(1892-1960)*

• Toute vie est un échec puisque aussi la mort la termine.

## COMTE d'HOUDETOT
*(XIXe siècle)*

• Le vieillard qui fuit les fêtes assiste d'ordinaire à tous les enterrements : c'est un commencement de politesse qu'il se fait à lui-même.

## PIERRE DAC

*(1893-1975)*

- Je suis pour la peine de mort avec sursis.

- La mort n'est, en définitive, que le résultat d'un défaut d'éducation puisqu'elle est la conséquence d'un manque de savoir-vivre.

- Si nombre de gens ont peur de la mort, la mort ne craint personne.

- Quand on est passé de vie à trépas, on n'a plus rien à craindre de la mort puisque celle-ci ne s'attaque qu'aux vivants.

- Mourir en bonne santé, c'est le vœu le plus cher de tout bon vivant bien portant.

• On ne meurt pas toujours d'inanition, mais toujours intégralement d'inhumation.

• Dans la lutte pour la vie,
Celui qui est à bout de souffle,
À bout d'arguments,
À bout de tout,
N'est heureusement et par contre
Pas au bout de ses peines.

• « Je vous prie de vous considérer comme giflé. »
Réplique de Pierre Dac :
« Et moi, je vous prie de vous considérer comme tué par moi. »

• HOROSCOPE :
Vraisemblablement, votre décès ne se produira pas avant la fin de vos jours et la date de votre inhumation concordera probablement avec celle de vos obsèques.

• En raison du décès subit du pharmacien Gomez qui devait remplacer le pharmacien Lopez, il n'y aura pas de garde dimanche prochain à Santiago du Chili.

• Le pays où il n'y a pas de tombeaux est un pays de cannibales.

PETITES ANNONCES DE *L'OS À MOELLE*
DIRECTEUR PIERRE DAC

• Vends corbillard occasion : levier de vitesses bloqué au point mort.

• Directeur pompes funèbres cherche personnel ayant le sens de l'humour, connaissant particulièrement la mise en boîte.

---

## JEAN ROSTAND
*(1894-1977)*

• Cette vie qu'on ne peut pas prendre au sérieux et qu'il faut parfois prendre au tragique.

• On tue un homme, on est assassin. On tue des millions d'hommes, on est un conquérant. On les tue tous, on est un Dieu.

• La mort est un processus qui gagne de proche en proche.

• La mort ne m'inquiète pas. Elle m'ennuie. Je suis un mauvais moureur.

• Tous les espoirs sont permis à l'homme, même celui de disparaître.

---

### LOUIS-FERDINAND DESTOUCHES dit CÉLINE
*(1894-1961)*

• Invoquer sa postérité, c'est faire un discours aux asticots.

• Certes, je veux bien aller au Ciel. Anatole France voulait bien y aller aussi mais à condition que l'on y serve le café au lait au lit... Le lit, je m'en moque, mais le café-crème, j'y tiens.

---

### MARCEL PAGNOL
*(1895-1974)*

• De mourir, ça ne me fait rien. Mais ça me fait de la peine de quitter la vie.

• Qu'est-ce qu'ils ont à pleurer autour de mon lit... C'est déjà bien assez triste de mourir... S'il faut encore voir pleurer les autres !

---

### CLAUDE FOUCHÉ
*(1895-1956)*

SUR SON LIT DE MORT

• J'ai réussi avec mon intelligence, c'est-à-dire avec presque rien.

---

### ELSA TRIOLET
*(1896-1970)*

• J'arrive au temps des échéances. J'ai dépensé ma vie qui n'est jamais qu'un prêt et qu'il me faut rendre à la mort usurière.

---

### GEORGE BURNS
*(né en 1896)*

• Je suis à cet âge où le simple fait d'arriver à mettre un cigare dans un fume-cigare est une aventure très excitante.

---

### HENRY DE MONTHERLANT
*(1896-1972)*

• Comme ils veulent tous une vieillesse protégée et douillette ! L'ouate avant le linceul.

• Un véritable homme de lettres, à la pensée de sa mort, est triste moins de mourir que de ne pouvoir concevoir sur la mort ne fût-ce qu'une seule pensée originale.

• La jeunesse se passe à faire croire qu'on est un homme. L'âge adulte à faire croire qu'on est heureux quand on ne l'est pas. La vieillesse à faire croire qu'on n'est pas gâteux quand on l'est.

• On dirait quelqu'un qui a oublié de se faire enterrer.

---

### ANDRÉ BRETON
*(1896-1966)*

• Je demande, pour ma part, à être conduit au cimetière dans une voiture de déménagement.

---

**PHILIPPE SOUPAULT**

*(1897-1990)*

• Rira bien qui mourra le dernier.

---

**ROGER FERDINAND**

*(1898-1967)*

• Ce qui me gêne, ce n'est pas mon âge, mais l'âge des gens qui ont mon âge.

---

**NOËL COWARD**

*(1899-1965)*

• Noël Coward apprend que quelqu'un s'est tiré une balle dans la tête, il dit :
« C'est incroyable, comment a-t-il pu réussir à viser une tête si minuscule ? »

---

## JACQUES AUDIBERTI

*(1899-1966)*

• Tout le temps vivre, à la longue, c'est mortel.

---

## HENRI MICHAUX

*(1899-1984)*

• Si un contemplatif se jette à l'eau, il n'essaiera pas de nager, il essaiera d'abord de comprendre l'eau. Et il se noiera.

---

## JORGE LUIS BORGES

*(1899-1986)*

• Répondant à un journaliste :
« Que voulez-vous que je dise de moi ? Je ne sais rien de moi ! Je ne sais même pas la date de ma mort. »

---

## ANDRÉ WURMSER

*(1899-1984)*

• Par un stoïcisme admirable, je suis prêt, si la mort en décide ainsi, à mourir demain. Aujourd'hui, non, ce serait inadmissible.

• L'homme qui sait devoir bientôt mourir est un permissionnaire, un retraité, un oisif, un vacancier.

• Les hommes de grand talent qui meurent le même jour qu'un homme de génie n'ont vraiment pas de chance.

• Outre ma vie, que laisserai-je inachevé ?

• Procréer, causer, lutter, vivre, cela se fait à deux. Mourir, non. Tout seul. Comme un grand.

• Mourir, mais c'est la dernière chose à faire.

---

**MARCEL ACHARD**
*(1899-1974)*

• La vie, ce n'est pas sérieux, on y entre sans le demander, on en sort sans savoir où on va, on y reste sans savoir ce qu'on y fait.

• La vie est un jeu de cartes dont le cœur n'est jamais l'atout.

• Il n'y a qu'une chose certaine dans la vie, c'est qu'on la perd.

• On ne vit qu'une fois ! Et encore !

• Malheureusement, pour être mort, il faut mourir.

## JACQUES RIGAUT

*(1899-1929)*

• Il n'y a pas de raisons de vivre, mais il n'y a pas de raisons de mourir non plus. La seule façon qui nous soit laissée de témoigner notre dédain de la vie, c'est de l'accepter. La vie ne vaut pas qu'on se donne la peine de la quitter...

• Je ne me sens vivre qu'à partir de l'instant où je sens mon inexistence. J'ai besoin de croire à mon inexistence pour continuer à vivre.

## EDDIE BRABEN

*(XXe siècle)*

• « Que voudriez-vous faire graver sur votre tombe ?
— Quelque chose de court et de simple.
— Quoi ?
— "Je reviens dans cinq minutes". »

## JACQUES PRÉVERT
*(1900-1977)*

• Si quelqu'un vous dit : « Je me tue à vous le dire », laissez-le mourir.

• Il est mort, alors pourquoi irais-je à son enterrement, puisque je suis sûr qu'il n'ira pas au mien ?

• « Alors, militaire, la vie est belle ?
— Je ne sais pas, je suis hussard de la mort. »

• La guerre serait un bienfait des dieux si elle ne tuait que les professionnels.

• Bien sûr, j'ai pensé parfois mettre fin à mes jours, mais je n'ai pas su par lequel commencer.

• Comme cela nous semblerait flou, inconsistant et inquiétant une tête de vivant, s'il n'y avait pas une tête de mort dedans.

• On a beau avoir une santé de fer, on finit toujours par rouiller.

• Debout les morts, et à la douche ! Nous voulons des cadavres propres.

• Le temps mène la vie dure à ceux qui veulent le tuer.

• « Je n'en ai plus pour longtemps, l'abbé.
— Nous en sommes tous là... à quelques années près, fort heureusement. »

• Ô Raison Funèbre !

## HENRI JEANSON
*(1900-1970)*

• Sans la police, tout le monde tuerait tout le monde, et il n'y aurait plus de guerre.

• Une jeune comédienne lui demande un jour :
« J'ai lu sur la couverture : "Les derniers jours de Pompéi", de quoi est-il mort ? »
Jeanson répondit :
« Des suites d'une éruption. »

• Un livre posthume est presque toujours une œuvre que l'on a eu tort de ne pas enterrer avec son auteur.

• Peur de la mort...
Pourquoi craindre l'inévitable ?
D'ailleurs, j'étais déjà mort en 1610 puisque je n'existais pas.
Je ne m'en portais pas plus mal.

• Vivre ! Ça prend du temps et je n'ai pas une minute à moi.

• Philippe Henriot a été tué par des résistants, en 1944.
À la radio, un milicien déclara :
« Une grande voix s'est tue. »
et Jeanson écrivit :
« Oui, mais la voix de son traître. »

• La guerre, le seul divertissement des rois... où les peuples aient leur part.

• La guerre justifie l'existence des militaires. En les supprimant.

• « Papa était général.
— Et qu'est-ce qu'il pense de tout ça, ton père ?
— Rien. Il est mort à la déclaration de guerre. L'émotion... Il s'y attendait si peu ! »

• La vie : une course contre la mort... Le meilleur ne gagne pas.

• Il refuse un duel :
« Vous n'allez pas tuer un lâche. »

---

## ROBERT DESNOS
*(1900-1945)*

• Le plaisir des morts est de moisir à plat.

---

## JULIEN GREEN
*(né en 1900)*

• On a beaucoup ri d'un télégramme que Mauriac a reçu peu de jours après la mort de Gide et ainsi rédigé : « Il n'y a pas d'enfer. Tu peux te dissiper. Préviens Claudel. *(Signé)* André Gide. »

---

## ALEXANDRE BREFFORT
*(1901-1971)*

• Ses parents étaient très pessimistes sur son avenir : « S'il continue, il mourra de faim sur l'échafaud ! »

## ALEXANDRE VIALATTE
*(1901-1971)*

• L'homme n'est que poussière, c'est dire l'importance du plumeau.

• « Moi, la mort ça me dérange tout de même, me dit un jour une vieille dame (qui est morte depuis), je n'aime pas changer mes habitudes. »

• On n'est pas d'accord avec la vie tant qu'on n'est pas d'accord avec la mort.

## CLAUDE AVELINE
*(1901-1992)*

• Qu'est-ce que la mort ?
Un mauvais moment à trépasser.

• Si j'en juge par mon regret de quitter la vie, j'ai dû être heureux plus que je ne pensais.

• Un ivrogne disait :
« De la naissance à la mort, la route est bien courte. Je la prolonge en zigzaguant. »

---

## JEAN TARDIEU

*(né en 1903)*

### IMMOBILIER
(extrait)

• À céder, en toute propriété, sans limite de temps, charmant pavillon à la campagne dans un parc clos de murs...
... animé de cloches et chants d'oiseaux pendant le jour, silence total la nuit.
Regrets perpétuels.

---

## VLADIMIR JANKÉLÉVITCH

*(1903-1985)*

• Chaque repas que l'on fait est un repas de moins à faire.

---

## MARGUERITE de CRAYENCOUR dite MARGUERITE YOURCENAR

*(1903-1987)*

• Je ne me tuerai pas,
On oublie si vite les morts.

---

## RAYMOND QUENEAU

*(1903-1976)*

• Je suis si mort déjà, que je puis rire aux larmes.

• A
la
postérité
J'y dis merde et remerde
et reremerde.

• Neuf mois de ventre : il fut
puis il a tété
...
Il fut
Il a été.

— —

## SALVADOR DALI

*(1904-1989)*

• Il y a des jours où je pense que je vais mourir d'une overdose de satisfaction.

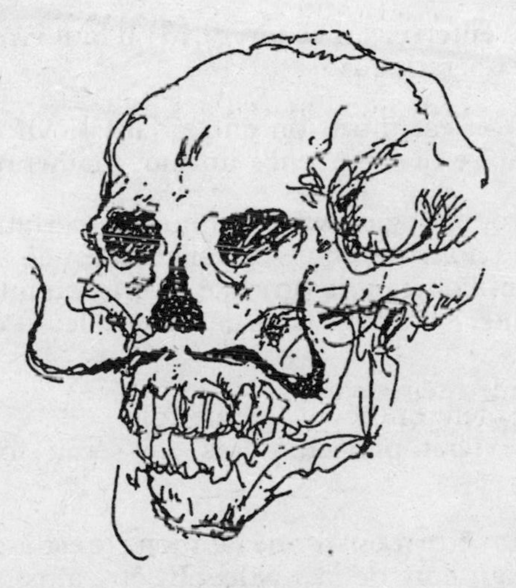

• Lorsque les trains déraillent, ce qui me fait de la peine, ce sont les morts de première classe.

---

## BOB HOPE

*(né en 1904)*

• Vous commencez à vous rendre compte que vous vieillissez quand les bougies coûtent plus cher que le gâteau.

---

## LÉO CAMPION

*(1905-1992)*

• Mourir : Occasion posthume de faire parler de soi.

• Il faut bien que tout le monde vive.
Et comme il faut bien que tout le monde meure, ça fait une moyenne.

• Dès qu'on dit feu Untel, c'est qu'Untel s'est éteint.

• Se faire enterrer un vendredi 13 ! Il faut vraiment ne pas être superstitieux.

• Quand on est mort, on entre dans le vif du sujet, « vif » étant en l'occurrence un mot malheureux.

• L'anthropophagie, qui a connu une certaine vogue en Afrique noire au cours des siècles, est en très nette régression. Pourtant le procédé, outre son intérêt gastronomique, évitait les frais de funérailles et de sépulture.

• Vivons bien, on ne vit qu'une fois.
Et si on vivait plusieurs fois, ce serait tout aussi valable.

• On peut être condamné à mort, c'est-à-dire être assassiné au nom de la Justice. Et être ainsi, en toute légalité, crucifié, brûlé vif, lapidé, empalé, étranglé, décapité, écartelé, ébouillanté, garrotté, asphyxié, mis au pilori, fouetté, roué, écorché, emmuré, bastonné, lynché, noyé, pendu, fusillé, guillotiné, électrocuté. J'en passe et des pas meilleures.

• Dialogue :
« De quoi est-il mort ?
— Il ne l'a pas dit. »

PENSÉES FUNÈBRES

• À quoi pensent les braves gens
Qui suivent les enterrements
En affichant avec constance
Une gueule de circonstance ?

Les héritiers, la larme à l'œil,
Pensent à leur part d'héritage.
Les dames qui portent le deuil
Pensent que le noir avantage.

Pour ne pas être pris de court
Celui qui va faire un discours
Vantant du défunt le notoire
Pense à épater l'auditoire.

Pour faire entrer des picaillons
Le curé pense augmenter vite
Le prix du coup de goupillon
Vu la hausse de l'eau bénite.

Le « matuvu » met tout son art
À avoir assez de retard
Pour qu'on remarque sa présence
Et pense à soigner sa prestance.

L'avare pense à ses écus.
Le cocu pense à ses déboires.
Le noceur pense à un beau cul.
Le croque-mort pense au pourboire.

Les chevaux du corbillard, eux,
Pensent que tout est pour le mieux
Pour eux, chevaux-vapeur tranquilles
D'un corbillard automobile.

Ceux dont le chagrin n'est pas feint
Pleurent comme une vraie greluche
En pensant à leur cher défunt
Qui d'ores et déjà trébuche
Parmi les bonnes intentions
Dont l'enfer est pavé, dit-on.

Quant au mort, la question se pose,
Le mort pense-t-il quelque chose ?
Ce n'est pas lui qui le dira ;
Patience : qui mourra verra...

• Vaste et large est mon crâne et j'ai toutes
Mes dents qui sont solides et fort
Saines. Ce me fera sans nul doute
Une splendide tête de mort.

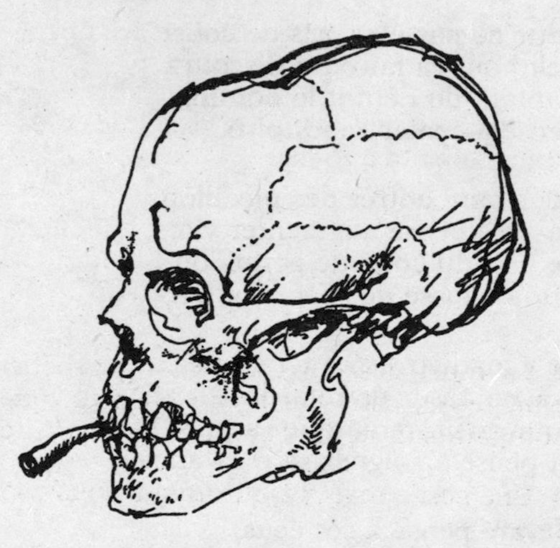

---

### LOUIS SCUTENAIRE
*(1905-1987)*

• Chaque fois qu'il y a un type qui meurt, ce n'est jamais le même.

• Être statufié de son vivant, ça vous pétrifie.

• Il y a des gens à qui la mort donne une existence.

---

### ANTHONY POWEL
*(né en 1905)*

• Devenir vieux, c'est être de plus en plus puni pour un crime que l'on n'a pas commis.

---

### SAMUEL BECKETT
*(1906-1989)*

• Le seul sport que j'aie pratiqué, c'est de suivre les enterrements à pied.

---

### MAURICE CHAPELAN
*(1906-1992)*

• La mort des autres, amis ou proches, est déjà si ennuyeuse, sans parler du chagrin, que la nôtre en comparaison ne nous paraîtra rien du tout.

• Une petite maladie chronique vous contraint à vivre sage!
La forte santé incline aux abus. Voilà pourquoi ce sont les malades qui durent et les bien-portants qui claquent.

## GEORGE SANDERS
*(1906-1972)*

• Note laissée avant son suicide :
Cher Monde, je te quitte parce que je m'ennuie. Je te laisse avec tes soucis. Bonne chance.

## PIERRE LAZAREFF
*(1907-1972)*

• Ce n'est pas vraiment que j'ai peur de mourir. Mais j'ai tellement peur de m'ennuyer quand je serai mort.

## SIMONE de BEAUVOIR
*(1908-1986)*

• Ils se contentent de tuer le temps en attendant que le temps les tue.

• À propos de la mort de François Mauriac à 85 ans : Il a bien l'âge de mourir. La mort d'un vieillard, à peine une mort.

---

## CHARLES MORELLET

*(xx$^{e}$ siècle)*

• Vieillir... On finit par n'avoir plus que soi à enterrer.

---

## STANISLAW-JEREZY LEC

*(1909-1966)*

• Il est très dangereux de vivre. Celui qui vit meurt.

• Le fait qu'il soit mort ne prouve pas qu'il ait vécu.

• Pendant qu'on le torturait, il n'arrêtait pas de se pincer. « Pourquoi ? » demanda le bourreau. « Je vérifie si je ne suis pas en train de faire un cauchemar. »

• La première condition de l'immortalité est la mort.

---

**ROGER JUDRIN**

*(né en 1909)*

• On ferme les yeux d'un mort, afin de ne plus voir qu'ils ne nous voient plus.

• Le livre d'une vie est d'autant plus noir que les pages en sont blanches.

• On ne se prépare pas plus à mourir qu'on ne s'était préparé à vivre.

• La mort est si peu notre affaire, que personne ne s'enterre soi-même.

• Les morts ne seraient à plaindre que s'ils assistaient à leur enterrement.

• Ignorez-vous que, dans le dernier voyage, il n'y a pas de voyageur ?

• Nous serons ce que nous étions avant d'avoir été.

• Dans les jeunes étreintes on a peur de donner la vie ; dans les dernières, on redoute de donner la sienne.

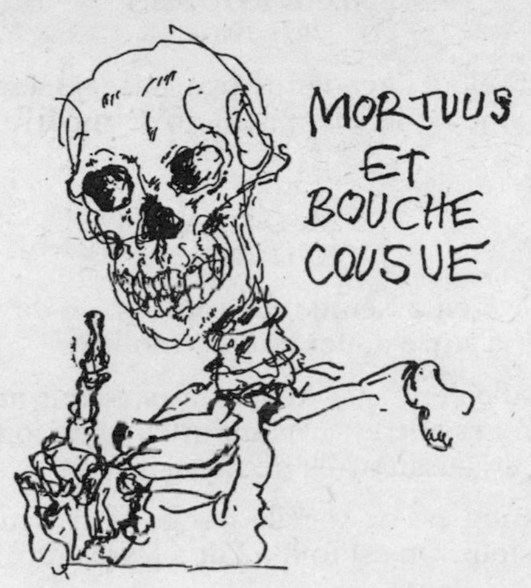


---

### JEAN ANOUILH
*(1910-1987)*

• Le célibataire vit comme un roi et meurt comme un chien, alors que l'homme marié vit comme un chien et meurt comme un roi.

• À un journaliste :
« Je ne vois vraiment pas à quoi ce que je vous ai dit pourra servir. Si ce n'est à composer ma nécrologie. »

• Les affaires allant mal, un marbrier déclare :
« Les morts de la guerre 14-18 nous manquent. »

---

### JEAN GENET
*(1910-1986)*

• Devant un peloton d'exécution, si je devais crier « Vive la France » pour éviter d'être fusillé, je le ferais, et je tomberais mort... de honte.

## ANDRÉ ROUSSIN
*(1911-1987)*

• Si je suis élu à l'Académie française, je serai immortel ; mais si je ne le suis pas, je n'en mourrai pas.

## E.M. CIORAN
*(1911-1995)*

• Devant cet entassement de tombes, on dirait que les gens n'ont d'autre souci que de mourir.

• Ne se suicident que les optimistes qui ne peuvent plus l'être. Les autres, n'ayant aucune raison de vivre, pourquoi en auraient-ils de mourir ?

• Ma mission est de tuer le temps et la sienne de me tuer à son tour. On est tout à fait à l'aise entre assassins.

• S'il est vrai qu'à la mort on redevienne ce qu'on était avant de l'être, n'aurait-il pas mieux valu s'en tenir à la pure possibilité et n'en jamais bouger ? À quoi bon ce crochet ? Quand on pouvait demeurer pour toujours dans une plénitude irréalisée ?

---

### GASTON ANDRÉOLI
*(xx^e siècle)*

• Pour honorer les morts, les uns portent le deuil, les autres leurs bijoux.

---

### EUGÈNE IONESCO
*(1912-1994)*

• Tous les chats sont mortels, Socrate est mortel, donc Socrate est un chat.

• « Je me suis senti vieux et j'ai voulu vivre. J'ai couru après la vie comme pour attraper le temps. J'ai tellement couru après la vie qu'elle m'a toujours échappé, j'ai couru, je n'ai pas été en retard, ni en avance, je ne l'ai jamais rattrapée pourtant : c'est comme si j'avais couru à côté d'elle. »

• Nous avons le passé derrière nous, l'avenir devant. On ne voit pas l'avenir, on voit le passé. C'est curieux car nous n'avons pas les yeux dans le dos.

• Je préfère la vie à la mort, exister à ne pas exister, car je ne suis pas sûr d'être une fois que je n'existerai plus.

---

### ROGER GOUZE
*(né en 1912)*

• Juste avant de crever
Faudrait vomir sa vie
Renoncer à rêver

Refuser toute envie
Faudrait cracher l'espoir
Pour faire en soi le noir
Où la mort fratricide
Aurait rien à faucher
Vas-y fouette cocher
Ton corbillard est vide.

---

## JEAN MARCENAC

*(né en 1913)*

• On vit de la mort des bêtes
On meurt de la mort des gens.

---

## ALBERT CAMUS

*(1913-1960)*

• Il n'était même pas sûr d'être en vie, puisqu'il vivait comme un mort.

---

## GILBERT CESBRON

*(1913-1979)*

• À la mort de son mari, elle cessa enfin de se sentir seule.

• Quand un homme se découvre devant moi, j'ai toujours envie de lui dire : « Me prenez-vous pour un corbillard ? »

• Mourir pour la patrie « est le sort le plus beau, le plus digne de la vie ». L'auteur de ces vers illustres est mort dans son lit, entre deux guerres.

• Il ne lui restait plus de famille, seulement un caveau.

• Les vivants n'ont de cartes de visite qu'imprimées; les morts, seuls, en ont de gravées.

• La mort ferme les yeux des morts et ouvre ceux des survivants.

• Je ne sais pas quand aura lieu l'embarquement, mais je suis entré dans la salle de transit.

---

**YVAN AUDOUARD**

*(né en 1914)*

• Il y a des jours si désespérés qu'ils vous donnent envie d'aller faire un tour à la gare de l'Est pour voir si la guerre n'a pas été déclarée.

• Il avait échoué à son permis de conduire. Le permis d'inhumer lui a été accordé au premier coup de volant.

• Il y a plus de vingt ans qu'il envisageait de tuer sa femme, mais la peine de mort n'était pas encore abolie.

• Mourir pour ses idées ne prouve pas qu'elles soient bonnes.

• « Toutes ces guerres, ces massacres, ces enfants morts de faim, cela ne vous empêche pas de dormir ?
— Vous savez... À mon âge, on dort si peu. »

• La mort ignore la politesse. Elle ne prend jamais rendez-vous. Mais elle accepte ceux qu'on lui donne.

---

**ROLAND DEVAUX**

*(né en 1914)*

• Testament :
Plantez-moi un saule au cimetière.
Que j'aie au moins quelqu'un pour pleurer sur ma tombe !

• Quand une épouse perd son mari, son sentiment de culpabilité est généralement si grand qu'elle ne peut s'empêcher aussitôt de s'en voiler la face.

• La mort, c'est ce qui permet à un homme de se retirer subitement du monde pour aller définitivement se mettre aux vers.

• Une veuve, c'est une malheureuse qui en est dorénavant réduite à geler loin de son feu.

• Mourir en beauté, c'est un luxe qu'on ne peut vraiment plus se permettre à partir d'un certain âge.

• Si la Patrie est parfois facilement ingrate envers ses enfants vivants, elle leur est, par contre, toujours chaleureusement reconnaissante quand ils sont morts.

---

**ROMAIN GARY**

*(1914-1980)*

• Quand on se fait vieux, on se réveille chaque matin avec l'impression que le chauffage ne marche pas.

## FERDINAND DUGUÉ

*(xx^e siècle)*

• L'auteur Ferdinand Dugué était distrait. Son collaborateur Anicet Bourgeois venait de mourir. On lui demandait :
« Viendrez-vous demain aux obsèques ? »
Dugué :
« Demain, je ne peux pas mais après-demain, sûrement... »

## ANDRÉ FRÉDÉRIQUE

*(1915-1957)*

### COURONNES

• À notre père affectionné
— Au patron « Les Bobineuses »
— Ses frères et sœurs unis pour une fois dans la douleur
— La propriétaire du 144 ter
— À notre client fidèle « Les Docks du Centre »
— Ceux du 46^e chasseur « On les aura »
— Le garçon des « Quatre fils de La Rochelle »
— La bonne des « Quatre sergents Aymond »
— Offert par les hauts spéculateurs du Vivarais
— À mon beau-père sans rancune
— La patronne du « Moulin fleuri »
— L'inconnue de la Porte Brancion
— Un groupe de vagabonds belges
— Acceptez cette couronne de l'abbé Gasparus
— À notre président « L'Association des colombophiles catholiques de la Seine »
— À notre trésorier « Les Amis de Luther »
— À notre secrétaire « La libre pensée du Blanc »
— Avec les excuses des familles Béchamel et Mouton
— Offert par une délégation de gros industriels de Barcelonnette

— Avec nos pleurs de forcelaine — un farceur
— Ce modeste bouquet, don de l'ouvreuse du Kursaal clichois
— À mon premier mari
— À mon second mari
— À notre mari — un groupe de veuves
— Un des gentlemen qu'il obligea un soir à Karikal
— Du mimosa comme il aimait
— Les phlox qu'il adorait
— Les angrecum sesquipedale dont il raffolait
— Regrets éternels du cocher de « Fidèle au poste » et « Coquette »
— Pour qu'il revive dans la table — une spirite
— Couronne lavable offerte par la femme de ménage
— À bientôt — Louisa
— En souvenir d'une joyeuse baignade en Marne avec Louis Veuillot
— Un bouquet cire façon naturel avec un jésus décoré, marqué à ses initiales P.Q.
— Trois petites couronnes bois flotté à déposer en triangle sur la dalle offerte par la « Compagnie de Jéhu »
— Un superbe bouquet en perles mauves rehaussé d'un ruban grenat portant ces mots « Ad aeternam »
— Une rondelle de carton bourrée de paille mais le cœur-y-est
— Une jardinière de pétunias en pleine terre dans un vase circulaire antirouille
— La bouée de « La Marie-Jeanne » cloutée de pâquerettes, offerte avec attention symbolique et bretonne par le patron Cloarec
— Un soleil pyrotechnique destiné à être allumé à la nuit tombante au cimetière, offert par les sœurs de Barbaud
— Un massif d'immortelles piquées en rotonde au sommet d'un chapeau de prêtre dont la calotte a été peinte recto et verso aux trois couleurs de la France immortelle, offert par le général de Montmirail
— Un couvercle de garde-robe verni et propre sur lequel ont été collées les premières ombres chinoises

de Caran d'Ache retraçant l'épopée de l'empereur Napoléon Bonaparte
— Une immense couronne contenant le cadavre offerte en prime par la fleuriste Madame Brissot qui exécuta la commande
Et n'oublie pas de remercier tous ces messieurs-dames qui voulurent bien lui faire confiance
Et s'excuse de la présence de la petite couronne de gauche sur laquelle on peut lire : « À ma nièce » due à l'erreur de Messieurs les imprimeurs rubanniers plutôt qu'à la malveillance.

• Géo L'Hoir propose à André Frédérique qui venait de perdre son père de lui changer les idées en l'emmenant au cinéma.
André Frédérique lui répondit :
« D'accord, mais pas de film en couleurs, je suis en deuil. »

• Les noyés ont tout l'Océan pour eux.

### EXERCICES DE LOGIQUE

• Un homme qui serait mort mais qui ne serait pas né
Un homme qui naîtrait après sa mort
Un homme qui mourrait en naissant mais qui ne naîtrait pas en mourant
Un homme qui ne mourrait pas
Un homme qui naîtrait une fois sur deux
Un homme qui mourrait quelquefois
Un homme qui n'arrêterait pas de naître
Un homme qui ne finirait pas de mourir
Un homme qui naîtrait de sa belle mort
Un homme qui naîtrait au-dessous de la ceinture et qui mourrait au-dessus
Un homme qui ne serait ni né ni mort
Cet homme-là n'est pas encore né.

---

## YVAN LE LOUARN dit CHAVAL
*(1915-1968)*

• Un au-delà ? Pourquoi pas ?
Pourquoi les morts ne vivraient-ils pas ?
Les vivants meurent bien !

### LE GRAND-PÈRE QUI REVIENT À LA VIE

• Quand votre grand-père est en train de mourir, vous installez sans faire de bruit votre petite caméra à environ 1,80 m du chevet du brave homme, vous éclairez avec une ou deux fotoflood voilées de crêpe Georgette et vous tournez doucement jusqu'à la fin. Le film une fois développé, il vous suffira de l'inverser dans le projecteur pour voir votre grand-père passer du trépas à la vie à la grande joie de la famille étonnée.

### ÉTOILE-GARE DE L'EST
(extrait)

• « Pourquoi pleure-t-il ? » demanda une vieille dame à une jeune femme qui tenait dans ses bras un bébé de quelques mois. « C'est parce que son grand-père est mort », répondit la maman. « Si jeune, c'est extraordinaire ! » dit la vieille dame. « Il avait 75 ans ! » dit la jeune femme. « J'en ai 74 », dit la vieille dame. « Oh ! Excusez-moi », dit la jeune femme. « Il n'y a pas de mal », dit la vieille dame. « Ce sont peut-être ses dents », reprit la vieille dame. « Oh ! non, madame », répondit la jeune femme, « il est mort tuberculeux ».

## L'ARCHITECTE

• La bonne de l'architecte vint dire à son patron qu'un M. Augereau désirait le voir le plus rapidement possible. « Priez-le d'attendre un moment », répondit l'architecte qui était en train de déjeuner. Une demi-heure plus tard, l'architecte reçut M. Augereau. Celui-ci lui demanda le plan d'un immeuble qu'il avait construit trois ans plus tôt. « Monsieur, lui dit l'architecte, puis-je savoir pourquoi vous désirez ce plan ? » M. Augereau lui apprit que son bébé, âgé de quelques mois, était tombé dans le vide-ordures et que le plan serait utile pour pratiquer des ouvertures dans la maçonnerie aux endroits où l'enfant était supposé avoir été arrêté.
L'architecte s'étonna que M. Augereau n'ait pas appelé Police-Secours. M. Augereau lui dit qu'il avait envoyé un pneu à cet organisme qui, au bout de quatre jours, lui avait répondu qu'il lui fallait s'adresser d'abord au gérant de l'immeuble. Ce dernier répondit presque par retour que l'on ne pouvait rien faire sans le plan et que c'était pour cette raison qu'il s'était permis de lui écrire pour lui demander un rendez-vous. Il ajouta qu'il était arrivé un peu en avance en raison de l'urgence de la situation.
« En effet, dit l'architecte, c'est très urgent et il est à craindre que votre bébé n'ait faim. — Faim ? Je ne crois pas, dit M. Augereau, car nous lui avons versé plusieurs litres de lait pasteurisé et il a bien dû

en avaler un peu, au moins de quoi tenir jusqu'à l'arrivée des maçons. — Vous pensez que cet enfant ne s'est pas blessé dans sa chute? demanda l'architecte. — Les journaux disent que non, répondit M. Augereau. — Dans ce cas, rien ne presse, dit l'architecte. Je suis moi-même père de famille et je dois justement conduire ma femme et mes enfants à La Baule demain. Je ne resterai qu'un jour avec eux et serai de retour ici mercredi prochain. Entre-temps j'aurai fait rechercher le plan de l'immeuble par mon secrétaire à qui vous pourrez téléphoner dès jeudi matin; je crois qu'on ne peut faire mieux. » M. Augereau remercia l'architecte et s'en fut, soulagé.

VIVE LA MORT
(Fragments)

• J'ai la conviction que les morts sont les gagnants. Certaines morts sont douloureuses et longues mais cela vaut la peine.
Je crois au néant, à l'inexistence comme d'autres croient en un dieu!

• On a du mal à imaginer que ceux qui ne sont pas encore au monde ont une existence terrestre. Alors pourquoi ceux qui quittent la vie en auraient-ils une?

• Aimer la vie me semble aussi stupide que d'être patriote.
Vive la putréfaction, premier degré vers la sagesse, vive la mort.

(paru dans *Le Fou Parle*)

## CLAUDE ROY

*(né en 1915)*

• Ne pouvant plus supporter l'idée de la mort, il se tue.

## ANDRÉ FROSSARD

*(1915-1995)*

• Il faudra absolument trouver une explication à la création de l'homme. Rien, en effet, n'est plus agaçant comme de n'avoir jamais eu de commencement, et d'avoir tout de même une fin.

## INGMAR BERGMAN

*(né en 1918)*

• C'est l'ombre de la mort qui donne son relief à la vie.

---

## MARJAN

*(né en 1918)*

• Il pensa...
Il pensa soudain
Qu'il n'avait jamais aimé
Cet homme...
Et il retira son épaule...
Laissant le poids
Du cercueil
Aux trois autres porteurs...

• De la morgue tout frais
m'en revenant
suis allongé maintenant
au pays des revenants...
Là, j'y étouffe lentement...
Las de la sueur,
je quitte le suaire
et vais vers l'ossuaire...

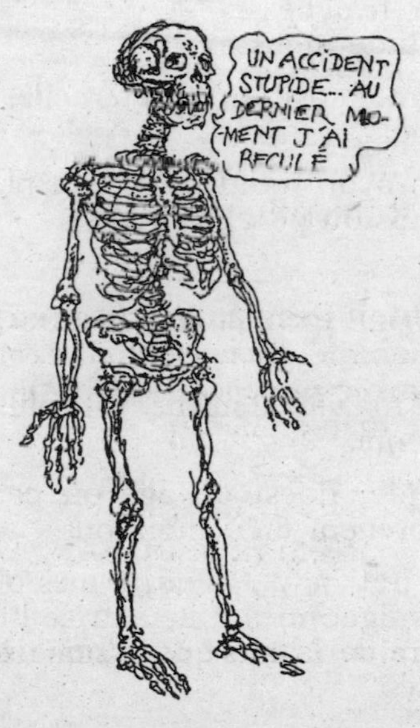

## RENÉ de OBALDIA
*(né en 1918)*

DIEU

• La Cour interrogea le criminel : « Pourquoi assassinez-vous systématiquement des vieillards à barbe ? » L'accusé ôta sa veste et déchira sa chemise. Sur son torse profondément tatoué, un Christ en croix agonisait. Il répondit d'une voix ferme : « Nous avons eu le Fils. On finira bien par avoir le Père ! »

## JEAN-MARC MINOTTE dit JEAN L'ANSELME
*(né en 1919)*

• Toutes les bonnes choses ont une fin. Sauf les saucisses qui en ont deux.

• Ma dernière volonté
Une bière bien fraîche
Avec beaucoup de mousse.

• Puisque la mort est la paix éternelle, si tu veux la paix, fais le mort.

• Mon père m'ayant quitté dès mon plus jeune âge, j'ai douté depuis du père éternel.

## ANATOLE BISK dit ALAIN BOSQUET
*(né en 1919)*

• J'ai dépensé ma vie : il ne me reste plus un sou pour une mort décente.

• Je me liquide. Il est un âge où par lucidité on devient entrepreneur en démolitions.

• Pourquoi n'irais-je pas lundi à mes obsèques ? Les fleurs seront mignonnes. Une actrice lira un de mes poèmes. Je dirai aux amis que je suis très heureux de les avoir quittés.

• À soixante-dix ans, ce n'est pas mon regard dans la glace qui m'épie et proteste : c'est mon squelette.

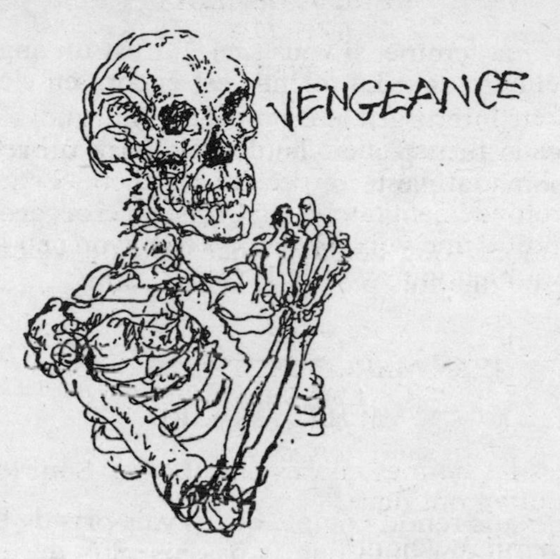


• Je veux qu'on me creuse trois tombes : une pour mon corps, une pour mon âme, une pour mes mots.

• S'il me reste un peu de vie, au lieu de la vivre je préférerais l'écrire ; je pourrais au moins la corriger.

---

**PIERRE DORIS**

*(né en 1919)*

• C'est très beau un arbre, dans un cimetière. On dirait un cercueil qui pousse.

• « Je m'éteins ! » dit le pompier avant de mourir.

• Dernière parole d'un artiste sur son lit de mort : « À quelle heure je passe ? »

• J'ai connu un teinturier qui est mort à la tâche.

• Aux dernières étrennes, j'ai offert une chaise à ma belle-mère. Aux prochaines, je la ferai électrifier.

• « Ah ! ma femme, si vous saviez, c'est un ange !
— Félicitations ! La mienne est encore en vie. »

• Ne vous tuez pas au boulot ; achetez un revolver, c'est moins fatigant.

• Les morts ont de la chance : ils ne voient leur famille qu'une fois par an, à la Toussaint.

---

## MICHEL AUDIARD

*(1920-1985)*

• Je me suis rendu compte que j'avais pris de l'âge, le jour où j'ai constaté que je passais plus de temps à bavarder avec les pharmaciens qu'avec les patrons de bistrots.

• La mère :
— Tu me feras mourir de chagrin.
Le fils :
— Eh bien tant mieux !
Comme ça on ne retrouvera pas l'arme du crime !

• L'amanite phalloïde a retiré l'an dernier plus de 4 000 contribuables à l'affection du Trésor public.

---

## JEAN DELACOUR

*(né en 1920)*

• La femme vit en général plus longtemps que l'homme pour avoir là encore le dernier mot.

• Il était jadis des tribus où celui ayant perdu sa femme en faisait d'excellents rôtis de veufs.

• C'est d'avoir affublé les académiciens d'une épée qui pourrait peut-être expliquer pourquoi ils passent si facilement l'arme à gauche.

---

### JEAN DUTOURD

*(né en 1920)*

• Il y a des degrés dans la gloire posthume. Avoir sa rue n'est pas mal, mais galvaudé. Paris est plein d'inconnus.

• Huit crimes passionnels sur dix sont commis par des hommes, ce qui montre avec clarté que les femmes leur en font voir de toutes les couleurs.

• Il faut vivre vieux, et même très vieux, et même excessivement vieux. Ainsi on a le plaisir, au fil des années, d'enterrer les gens qui se moquent de vous.

---

**JEANINE MOULIN**

*(née en 1920)*

• On mourra, de quoi ?
D'avoir vécu, pardi !
Et de quoi aura-t-on vécu ?
D'attendre qu'on meure, que diable !
Alors, à quoi tout cela rimait-il ?
Mais à rien. Il n'y a que la poésie qui rime.
Et encore...

---

## BORIS VIAN

*(1920-1959)*

• Militaire : Variété d'homme amoindri par le procédé de l'« uniforme » qui est une préparation à l'uniformité totale du cercueil.

• La mort n'est pas drôle parce qu'on n'en a jamais fait quelque chose de drôle et parce qu'elle ne supporte pas la répétition.

• Riez, mes enfants, riez ! Ça n'a rien de tragique ! Dans cent ans, chacun de nous n'y pensera plus.

• Ni militaire, ni prêtre, parce que mon rêve a toujours été de mourir sans intermédiaire.

• Un Irlandais ne se laisserait jamais enterrer dans un cimetière anglais, il en crèverait plutôt.

• Quoi de plus dangereux que de se faire tuer ?

• Un mort, c'est bien. C'est complet. Ça n'a pas de mémoire. C'est terminé. On n'est pas complet quand on n'est pas mort.

---

## HENRI VIARD

*(1921-1989)*

• À la suite de l'annonce de sa mort par *Le Figaro*, due à une méprise basée sur une homonymie avec le critique gastronomique Henry Viard, le romancier et scénariste Henri Viard a envoyé un rectificatif au journal, s'achevant ainsi : « Ceci est une prière d'insérer, non d'incinérer. »

(extrait du magazine *Lire*)

---

## FRANCIS BLANCHE

*(1921-1974)*

- Je suis plus intéressé par le vin d'ici que par l'eau de là.

- À une veuve : « Je n'ai pu assister aux obsèques de votre mari, étant moi-même assez souffrant... »

- La plus belle mort, c'est d'être tué à 80 ans d'un coup de revolver par un mari jaloux.

- Je n'ai jamais tué que le temps qui passait.

• Un malheureux unijambiste m'a confié : « Je n'ai pas pu suivre l'enterrement de ma jambe, car je boitais. »

• Il n'y a plus de nos jours que deux sortes de piétons : les rapides et les morts.

• Le malchanceux, c'est celui qui prépare tranquillement un nœud coulant dans un bois pour se pendre et qui se fait arrêter par le garde champêtre pour pause illicite de collet.

• Crevez gros, crevez maigre ?
La différence est pour les porteurs.

---

### PETER USTINOV
*(né en 1921)*

• — Que marquera-t-on sur votre tombe ?
— Sur ma tombe on gravera :
« Ne marchez pas sur l'herbe. »

---

### LUCIENNE DESNOUES
*(née en 1921)*

#### AU PASSAGE D'UN CONVOI FUNÈBRE

• « Encore un de plus de moins.
Hé oui ! encore un de moins de plus. »

---

### JOSÉ MILLAS-MARTIN
*(né en 1921)*

#### DOUBLE TAXE POUR LES RESTES HUMAINS INCINÉRÉS

• Les Luxembourgeois n'ont pas de crématorium.
Certains ont recours à celui de Strasbourg.
Mais les douaniers veillent.
Ceux de France classent l'incinération comme un service rendu à une personne privée. Donc, TVA.

Au retour, ceux du Luxembourg renchérissent. Il s'agit, pour eux, d'un travail confié à une entreprise étrangère avec réimportation du produit fini. Donc, TVA (bis).

*(1979)*

---

**FRÉDÉRIC DARD**

*(né en 1921)*

• Le pétomane est mort.
Pet à son âme.

• Un con vivant est plus intelligent qu'un intellectuel mort.

• Il faut mourir pour mesurer pleinement son degré de popularité.

• Comme il avait sommeil, je l'ai couché sur mon testament.

• La vie ne sert qu'à mourir.

• Ce qui console de la mort des amis, c'est qu'ils laissent des veuves.

• Chaque jour à vivre est une victoire.
Chaque jour vécu, une défaite.

• Il était si vieux qu'il avait l'air d'un oubli.

---

## CHANOINE DESGRANGES
*(XXe siècle)*

• Jésus est encore le seul à avoir eu la croix et à n'avoir jamais demandé la rosette.

---

## ANDRÉ RUELLAN
*(né en 1922)*

### MANUEL DU SAVOIR-MOURIR

• Devenir une momie vous assimile dans une large mesure aux bâtisseurs des pyramides, ce qui flatte votre postérité.

• Mais la faiblesse n'excuse pas le manque d'éducation : on ne se suicide pas en se jetant sous une rame de métro, au risque d'interrompre le trafic pendant deux heures.

• Quand un homme est enterré vivant, il n'y a que lui qui en soit informé, ce qui fausse à la fois l'optimisme et les statistiques.

• Il se mit à penser à un cimetière de grandes dimensions, et compta les croix pour s'endormir. Mais les morts ne dorment pas. Il découvrit qu'il était en route pour une très longue insomnie.

• Il attendait patiemment l'instant où il serait appelé à son tour, s'entraînant chaque jour à expirer deux fois plus d'air qu'il n'en inspirait.

• La main-d'œuvre zombie ne réclame aucun salaire et l'on peut la faire se tuer au travail sans risquer de la faire mourir.

• Soignez votre mort, ne fournissez pas à vos amis l'occasion de ricaner devant votre photo posthume.

• Tout comme l'accouchement sans douleur, la mort sans surprise réclame des exercices préparatoires dont le moindre n'est pas la retenue du souffle en vue du dernier soupir, ou la recherche d'un râle qui convienne à votre capacité pulmonaire et à la tessiture de votre voix.

• De quelque manière qu'on envisage les événements, on arrive à la même évidence : nous sommes tous partis pour y rester.

---

## THÉODORE KOENIG

*(né en 1922)*

• J'aurai été le sceptique irréductible, n'ayant pu prendre ma vie ni ma mort au sérieux.

• Tout homme s'offre le luxe inestimable de prononcer son premier et son dernier mot.

---

## RAYMOND DEVOS

*(né en 1922)*

• Un jardinier qui sabote une pelouse est un assassin en herbe.

• Lorsqu'un chêne sent le sapin, il sait que sa dernière heure est arrivée.

• Je crois à l'immortalité et pourtant je crains bien de mourir avant de la connaître.

---

**ANTOINE BLONDIN**

*(1922-1991)*

• Soldat inconnu, connais pas... Comme si vous me parliez peau rouge. Et encore, les Peaux-Rouges, ils ont le bon esprit, quand c'est fini, d'enterrer la hache de guerre. Nous, c'est le guerrier qu'on enterre, mais le matériel, on le conserve.

---

**DANIEL BOULANGER**

*(né en 1922)*

RETOUCHE À LA GUERRE

• La, tra la la, nous avons plus de morts que vous, na.

• Il a changé trois fois de cimetière,
Il n'y a que les riches pour s'offrir ça.

---

## ROBERT SABATIER
*(né en 1923)*

• Mourir de mort surnaturelle.

• Il rédigea son testament, se sentit en état de bien mourir, et, effrayé, le déchira aussitôt.

---

## ART BUCHWALD
*(né en 1923)*

• Savez-vous pourquoi il y a tant d'églises à Paris? C'est pour permettre aux piétons d'entrer faire une prière avant de traverser la rue.

---

## ROGER PIERRE

*(né en 1923)*

• C'était un Français qui payait tellement d'impôts... que le jour où il mourut... le gouvernement fit faillite.

---

## JACQUES STERNBERG

*(né en 1923)*

• Né le jour des morts
Il passa toute sa vie
À se regretter.

• Il était tellement bien élevé
Qu'avant d'entrer dans la mort
Il laissa passer sa femme avant lui.

• Inscription qu'il
Souhaite « voir »...
Gravée sur sa tombe :
« Au secours ! »

• La vie est assez facile à définir dans son ensemble : une interminable addition de soustractions.

• J'aimerais bien connaître le nom et l'adresse d'un être humain qui soit mort de sa belle mort.

• Mon plus grand remords sera de ne pas avoir droit à une re-mort.

• Inquiétant, mais vrai : sur les 80 milliards d'individus qui ont déjà fréquenté notre terre au cours des siècles, aucun n'a survécu.

• Je n'envie rien de très particulier sur cette terre. Sauf ceux qui seront encore en vie après moi.

• La mort, qui a toujours tort, a raison de chacun.

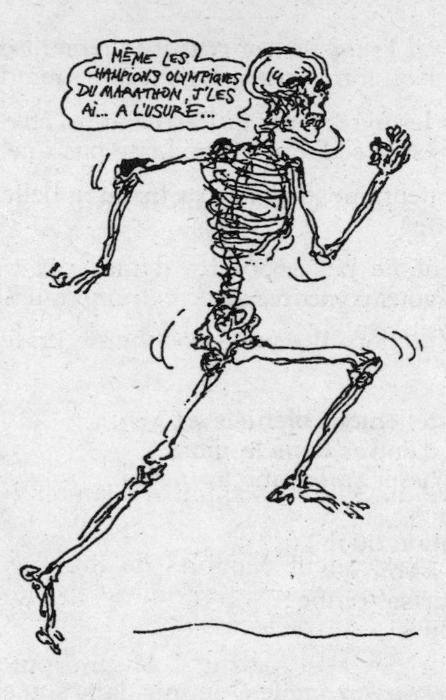


---

## MAURICE DE BÉVÈRE dit MORRIS

*(1923)*

« LUCKY LUKE »

• Ici on ne lambine pas avec ceux qui troublent la tranquillité, on les pend haut et court... c'est radical pour leur couper le sifflet.

POKER GULCH

• Étranger, si tu as abattu plus de quatre as, tu risques de l'être aussi.

ABILÈNE

• Pour le bétail : une étape.
Pour les coyotes : un abattoir.

---

## NOCTUEL
*(né en 1923)*

• De tous les agréments qui arrivent à l'être humain, son décès est le seul dont il ne fasse pas une maladie.

• Les honneurs posthumes, ça fait une belle jambe à un squelette.

• Comment ne pas répondre d'une voix mourante, quand on vous parle avec une extrême onction !

• Comme on dort tranquille, couché sur un testament !

---

## FRANÇOIS CAVANNA
*(né en 1923)*

• La veuve du Soldat inconnu n'a jamais touché un sou de pension.

• Les druides étaient capables de lire l'avenir d'un homme dans ses propres entrailles. Ils ne se trompaient jamais.

• Quand on pend un raciste, il devient tout noir.

• Quand ils prenaient leur vol pour aller s'écraser sur leur objectif, les pilotes-suicide japonais n'oubliaient jamais d'emporter leur mascotte porte-bonheur.

• Une enquête récente a démontré que 90 % des enterrés vivants reprennent conscience dans le corbillard qui les emporte vers le cimetière, mais ils n'osent rien dire de peur d'avoir l'air ridicule.

• Le suicide réussi est le seul péché mortel dont on ne puisse pas se confesser.

• On mange, on travaille, on baise, on aime, on se saoule, on hait, on fait son salut, on philosophe, on laisse un nom dans le dictionnaire, on se meuble avec goût, on fait du sport pour rester jeune, on arme son esprit, on se met du rouge pour rester belle. On se ment. La vérité, la voici : toute vie qui sait qu'elle doit finir n'est qu'une longue agonie.

---

**PIERRE DE MONTVALLON dit PIEM**
*(né en 1923)*

• Les ventes de la Bible étaient pratiquement nulles au départ; maintenant, enfin pour son auteur, cela marche bien.

• J'aime me promener dans les cimetières après la messe, je suis en quelque sorte en posthume du dimanche.

• Quand je connaîtrai bien la mort, il sera trop tard pour disserter dessus.

• Je viens d'atteindre l'âge respectable de 120 ans et je me demande si c'est bien raisonnable.
Aussi ai-je décidé une entorse à mon régime, je vais me mijoter ce soir un petit plat de pissenlits par la racine.

---

## FRANÇOIS CARADEC

*(né en 1924)*

• La mort, c'est un grand vide. Un trou et rien autour.

• Y a pas seulement cent ans, on mourait plus jeune de vieillesse.

• Ça m'a longtemps fait quèque chose de voir partir des gens de mon âge. Maintenant, je m'en fous, j'en ai fait mon deuil.

• Bien sûr, les cercueils ne sont pas taillés sur mesure; mais les morts s'adaptent à tout.

• Je vous assure que de ne pas avoir son permis de conduire, c'est une preuve de courage : on vous donne toujours la place du mort.

• Avoir de la famille, ça présente tout de même un avantage, pour le caveau : c'est une économie de pierre tombale.

---

## MAURICE ROCHE

*(né en 1924)*

• « Ce pays de fossoyeurs de talents qu'est la France, où l'on est accoutumé à enterrer les vivants, à cultiver les morts et à entretenir les morts-nés, n'offre aucun débouché à un artiste : ici, on devrait mourir d'abord et vivre ensuite. »

• La vie n'est là que pour mémoire.

## MICHEL TOURNIER

*(né en 1924)*

• La mort est acceptée aussi longtemps que la date et les circonstances de sa venue demeurent incertaines.

## CHARLES AZNAVOUR

*(né en 1924)*

• La plus belle pierre tombale ne couvre qu'un cadavre.

• On ne m'a jamais rien donné, pas même mon âge.

## GEORGES DELAFOREST

*(xx^e^ siècle)*

• La vie est un bail imposé aux locataires, sans lecture préalable du cahier des charges.

---

## CLAUDE BACCHI

*(xx^e siècle)*

• On a toujours assez de philosophie pour supporter la mort d'un parent riche.

---

## PIERRE GRIPARI

*(1925-1990)*

• Le bonheur, s'il était possible, consisterait à jouir de tous les avantages de la mort : éternité, sécurité, invulnérabilité et cela tout en restant vivant et conscient d'être en vie... En somme, les fantômes seuls seraient heureux s'ils existaient.

---

## JACQUES KALAYDJIAN dit JICKA

*(né en 1925)*

• Mourir de rire c'est se fendre la pipe sans la casser.

• Avis aux morts :
Il est formellement interdit de ronfler durant son sommeil éternel afin de ne pas réveiller ses voisins qui reposent en paix.

• Vie : passage sur terre.
Mort : passage sous terre.

• Paix à mes cendres.
Prière de ne pas éternuer.

## ROGER NIMIER de LA PERRIÈRE dit ROGER NIMIER

*(1925-1962)*

• Il devrait y avoir des terrains de guerre pour ceux qui aiment bien mourir en plein air. Ailleurs, on danserait et on rirait.

## TRISTAN MAYA

*(né en 1926)*

• Les morts nous passent le flambeau.

• Les regrets éternels n'existent que sur la pierre.

• C'est au moment où nos forces diminuent de moitié que nos années comptent double.

• Ils se donnaient le bras, non par amour, mais pour se soutenir mutuellement.

• Je suis de ces chrétiens qui vont à la messe pour obtenir une place au ciel.

## COMTESSE VÉRA de TALLEYRAND

*(XXe siècle)*

• On passe sa vie à dire adieu à ceux qui partent, jusqu'au jour où l'on dit adieu à ceux qui restent.

## JEAN AILLAUD

*(né en 1926)*

• Mourir est le seul verbe qui se conjugue au passé décomposé.

• Si vous mettez le pied sur une vipère, vous risquez une « mort sûre ».

---

### SIMON BERRYER dit SIM

*(né en 1926)*

• L'athéisme est une assurance à fonds perdus sur la vie, la foi donne l'assurance de récupérer ses fonds après la mort.

---

### ROLAND BACRI

*(né en 1926)*

• Les belles opérations : corps + billard = corbillard.

---

### JOSÉ ARTUR

*(né en 1927)*

• Tout être qui aura tenté de vivre sera puni de mort.

• Passé 90 ans, l'héritage intéresse de moins en moins.

• Dans les moments les plus délicats de ma vie, je ne peux m'empêcher de blaguer. Je mourrai, si j'en ai le temps, en essayant de faire rire la mort.

• Je suis un inquiet perfectionniste, je serai toujours inquiet. Le jour de mon enterrement, je voudrai l'organiser. J'aurai même peur d'être en retard.

• Un orphelin qui vient de perdre son dernier parent a le privilège de remercier des lettres de condoléances par : « Toute la famille est désormais dans l'impossibilité de se joindre à moi pour... »

• Allez, les petits gars, en avant !
Les survivants écriront aux mères des morts.

• En Corse, c'est l'âne qui porte tout, sauf le deuil.

---

**ALAIN GUÉGUEN**
*(1927-1991)*

• Quand on est militaire, ce n'est pas parce que l'on a l'arme adroite que l'on ne passe pas l'arme à gauche.

• Mieux vaut avoir une extinction de voix qu'être en voie d'extinction.

---

**LES FRÈRES ENNEMIS — ANDRÉ GAILLARD**
*(né en 1927)*

**TEDDY VRIGNAULT**
*(né en 1928)*

• Et si l'on condamnait la Mort pour faux et usage de faux ?

---

**FIDEL CASTRO**
*(né en 1927)*

• Même les morts ne peuvent reposer en paix dans un pays opprimé.

## SERGE GAINSBOURG
*(1928-1991)*

• Ne m'enterrez pas en grande pompe, mais à toute pompe.

• Jusqu'à la décomposition, je composerai.

## LOUIS NUCÉRA
*(né en 1928)*

• La vie est une maladie de la mort.

## JEAN BAUDRILLARD
*(né en 1929)*

• Jadis, il fallait craindre de mourir dans le déshonneur ou le péché.
Aujourd'hui, il faut craindre de mourir idiot. Or, il n'y a pas d'extrême-onction pour vous absoudre de l'idiotie.

## JACQUES BREL
*(1929-1978)*

• Je veux qu'on rie
Je veux qu'on danse
Je veux qu'on s'amuse comme des fous
Je veux qu'on rie
Je veux qu'on danse
Quand c'est qu'on me mettra dans le trou.

## LOUIS CALAFERTE
*(né en 1929)*

• Je suis du bois dont on fait les cercueils.

## PHILIPPE BOUVARD
*(né en 1929)*

• Je préfère une petite bénédiction égrenée rapidement sur la tombe à un long service qui, dans une église pas chauffée, prépare fatalement d'autres enterrements.

• Je rêve parfois de prendre, sur le plan des articles et des émissions, une avance telle qu'elle me permettrait de me manifester dans mes supports habituels plusieurs mois après ma disparition.

• Les méchants, eux, ne meurent-ils donc jamais ? J'attends en vain qu'au bord de la tombe fraîchement creusée un orateur s'avance et déclare : « Nous portons aujourd'hui en terre un individu sans foi ni loi. Sa disparition réjouit tous les honnêtes gens. Mauvais fils, mauvais mari, mauvais père, il a consacré sa vie à assombrir celle des autres. Le voilà enfin hors d'état de nuire. Il n'avait pas d'amis. Ceux qui sont réunis autour de sa dépouille ont seulement voulu s'assurer de la réalité de son départ. Il laisse une famille rassérénée, des collègues soulagés, des colocataires hilares. Nous regretterons éternellement qu'il ait tant attendu pour prouver que, contrairement à ce qu'affirme la sagesse populaire, ce ne sont pas toujours les meilleurs qui s'en vont les premiers. »

• L'euthanasie n'est qu'une mesure d'économie pour éviter d'avoir à construire de nouveaux hospices.

• C'est triste de se retrouver pour l'éternité dans une travée du Père-Lachaise en compagnie de gens avec lesquels on n'aurait même pas passé un week-end.

• Une bouée est un début de couronne mortuaire que les futurs noyés se mettent autour du cou avant de couler.

• La mort, on y va toujours seul, accompagné jusqu'au bout par un tas de gens qui vous disent : « Ce n'est rien, on vous suit. » Mais quand on se retourne, au seuil de l'éternité, il n'y a plus personne.

• La réanimation permet de retirer momentanément des clients aux pompes funèbres.

• Chaque jour m'apporte — à travers les notices nécrologiques de personnages de premier plan pour tout le monde sauf pour moi — une démonstration supplémentaire de mon inculture crasse. Au chagrin de voir disparaitre un grand homme s'ajoute alors la tristesse de l'avoir méconnu.

• Le suicide est l'acte désespéré d'un être qui ne fait plus confiance ni aux médecins, ni à la guerre, ni aux transports, ni à la nature.

• Pour être admirable, la famille devrait être désintéressée. Mais pour être viable, elle doit s'appuyer sur une communauté d'intérêts. Or, qu'est-ce qu'un héritage potentiel sinon une affection en viager?

• Un jour viendra où, grâce aux progrès de la science, les riches essaieront de payer ceux qui n'ont pas de quoi vivre pour qu'ils meurent à leur place.

• Rien ne me fait douter davantage de la fameuse égalité des chances que l'héritage.

• Bien qu'à mon enterrement mes yeux seront clos, je ne veux pas y voir n'importe qui.

• Un jour viendra où l'absence totale de rides constituera le seul moyen de déceler la vieillesse.

• Une remise de décorations est l'instant privilégié entre tous où un homme en bonne santé peut entendre en avant-première le tombereau d'amabilités qu'on déversera plus tard sur son cercueil.

• Le marbre est le plancher des vivants et le toit des morts.

• La mort n'est jamais qu'un jour dans la vie. Et de surcroît le dernier, à ce qu'il paraît.

• Nous sommes tous sur la même barque, promis au même naufrage et il n'y aura aucun survivant.

• Quand un être disparaît, les signes extérieurs de chagrin se trouvent principalement assumés par ceux dont ce décès conforte ou améliore la situation : héritiers qui surveillaient le magot depuis un quart de siècle, subalternes qui désespéraient d'avoir accès au tableau d'avancement, voisins qui lorgnaient avec envie l'appartement, la voiture ou la future veuve.

• Il convient d'assister aux inhumations, crémations et autres manifestations funèbres moins pour accompagner les autres que pour réfléchir sur soi.

• Vouloir paraître plus jeune que des gens qui sont nés la même année que soi constitue le début de la vieillesse.

• Ce qu'il y a de plus terrible dans la mort, c'est de ne pas pouvoir aller à ses rendez-vous du lendemain.

• Je suis à l'âge où, si l'on ne réalise pas tout de suite ses derniers rêves d'enfant, ils se transforment l'année d'après en regrets de vieillard.

• L'éloge funèbre constitue un genre difficile, impliquant un savant dosage entre le souvenir familier, la détresse authentique, les banalités de circonstance et l'envolée lyrique.

• Sur ma tombe, je souhaiterais qu'on inscrive seulement : « Il y est passé comme les autres. »

## JACQUES CANUT
*(né en 1930)*

• La femme vieillit plus vite que l'homme, mais elle met plus de temps à mourir.

• Le célibataire, c'est un veuf qui ne s'est jamais marié.

• Il ne répond plus au théléphone.
Il est mort.
Allô-delà ?

• En se suicidant, on ne fait plaisir qu'à soi-même.

• Il y en a qui ont toujours le (dernier) mot pour mourir.

• Les personnes âgées vous serrent longuement la main comme pour mieux s'accrocher à l'existence.

---

## ROBERT LASSUS
*(né en 1930)*

• Je suis dans la fleur d'un âge qui commence à sentir le chrysanthème.

---

## JEAN-PAUL GROUSSET
*(né en 1930)*

### CALEMBOURS

• Notre père qui êtes osseux.

• Un posthume sur mesure.

• La mort fine.

• Le crime ne plaît pas.

• L'arctique de la mort.

• Se faire hara qui rit.

• Une entreprise de bombes funèbres.

• La race des seigneurs.

• De boue, les morts !

• On met les bouchers doubles.

- Parricide la sortie.
- Suivez le veuf.
- Que d'os, que d'os!
- Hardi, les glas!
- Un portrait-Roblot.
- Décrocher la tombale.

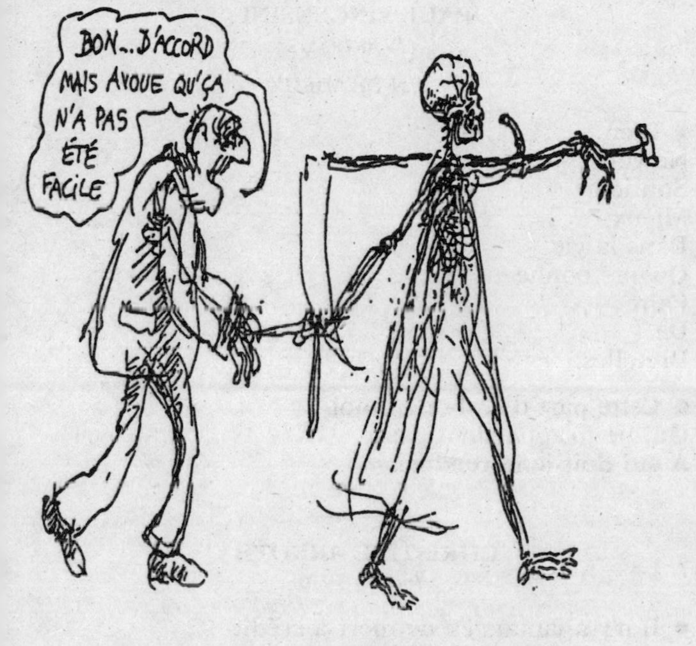


**JEAN BRETON**
*(né en 1930)*

- J'aimerais m'éteindre sur un mot d'humour-propre. Mais surtout, que personne ne me rallume!
- La Camarde en riant me dira :
« Camarade, grouille-toi. Ne fais pas le difficile. Tu n'es pas le seul. Comme dans la librairie, j'en prends treize à la douzaine. »

• Je serai heureux de m'en aller parce que j'ai eu mon content et qu'une foule se presse derrière moi et pousse.
Le comité des morts m'attend : j'arrive avec mon baluchon de mots et tous ces visages de femmes, mes avocates, je l'espère.

---

## PAUL VINCENSINI
*(1930-1985)*

### RIEN DE MIEUX

• Rien
Ne vous
Soutient
Mieux
Dans la vie
Qu'une bonne
Paire
De
Bretelles.

• Cette part d'ombre en moi
Qui ne m'appartient pas
À qui dois-je la rendre ?

---

## CHRISTINE ARNOTHY
*(née en 1930)*

• Il n'y a jamais eu de mort à crédit.
La mort, on la paie, en espèces.

---

## GUY FOISSY
*(né en 1932)*

• La musique adoucit les morts.

• Je trouve qu'il vaut mieux insulter les morts qu'insulter les vivants, on ne risque pas de se ramasser une baffe. Avec les vivants, ça m'est arrivé. Avec les morts, jamais.

---

## RAFAËL PIVIDAL
*(né en 1934)*

• Les cimetières sont beaucoup plus petits que les villes, ainsi le Père-Lachaise est plus petit que Paris. Cela prouve que seule une minorité de Parisiens meurent.

---

## GEORGES WOLINSKI
*(né en 1934)*

• Je suis content que la vie soit courte,
Je trouve ça rassurant.
J'ai peur des choses qui ne finissent pas.

• Le premier homme qui est mort a dû être drôlement surpris.

• L'immortalité engendre la paresse parce qu'un immortel remet toujours au lendemain ce qu'un mortel aurait fait le jour même.

### TESTAMENT

• Je fais ce testament afin que ma famille sache que l'estime que je lui porte est proportionnelle à l'insuffisance de ce que je lui lègue.
À ma chère femme, les photos pornos cachées sous une planche de la cabane au fond du jardin, pour la remercier de toutes les folies que nous n'avons jamais faites ensemble, à mon frère Louis, je lègue ma scie mécanique, en espérant qu'il se coupera le bras avec, lui qui n'a jamais eu un geste pour moi.

• Si j'étais vraiment très riche... je donnerais toute

mon immense fortune pour ne pas mourir. Même si je dois vivre éternellement pauvre, il vaut mieux vivre éternellement pauvre que de mourir riche. Ce qui n'est pas supportable c'est de mourir pauvre.

• Je n'aime pas les enterrements et j'ai décidé que je n'irai plus qu'au mien.

• Moi, le seul voyage qui m'intéresse, c'est la mort. Parce qu'on ne rapporte pas de diapos.

• J'aimerais mourir et revenir sur terre sous une autre apparence pour pouvoir sauter ma veuve.

• Je suis désespéré lorsque je pense que tout ce que j'aime existera encore après ma mort, tandis que moi, si je n'avais pas existé, personne ne s'en serait aperçu.

• J'ai pris la dernière douche
J'ai vu le dernier oiseau
J'ai vu le vent agiter la dernière branche
J'ai lu le dernier livre
Je n'ai pas cueilli la dernière fleur
J'ai couru pour la dernière fois
J'ai regardé la dernière fourmi
J'ai caressé la dernière femme
La dernière plaisanterie ne m'a pas fait rire
J'ai pris le dernier train
J'ai bu le dernier verre
J'ai poussé le dernier soupir.

---

**MATTHIEU GALEY**

*(1934-1986)*

• Je suis obsédé par l'âge; je fais une vieillesse nerveuse.

• On dit « mourir à petit feu ». « À l'étouffée » serait plus juste.

---

### GUY BEDOS
*(né en 1934)*

• Si je me tue un jour (je ne promets rien pour l'instant), ce sera par amour de la vie.

• Ceux qui pensent au suicide sans se suicider ressemblent à des allumeurs morbides.

• Pour ne pas faire souffrir tous ceux que j'aime, si je sens ma mort venir, je saurai être assez odieux pour qu'on ne me regrette pas.

---

### WOODY ALLEN
*(né en 1935)*

• Je ne cherche pas l'immortalité pour l'œuvre, je cherche l'immortalité en m'abstenant de mourir.

• Je n'ai pas peur de la mort, mais quand elle se présentera, j'aimerais autant être absent.

• Bien que je ne croie pas à une vie future, j'emporterai quand même mes vêtements de rechange et un peu d'argent de poche. Partout où l'on va, l'argent est préférable à la pauvreté, ne serait-ce que pour des raisons financières.

• Je tiens beaucoup à ma montre, c'est mon grand-père qui me l'a vendue sur son lit de mort.

• La mort est une des pires choses qui puissent arriver à un membre de la mafia. Beaucoup d'entre eux préfèrent simplement payer une amende.

• Mon premier film était si mauvais qu'aux États-Unis, dans sept États, on l'utilise pour remplacer la peine de mort.

• Je porterai un pistolet à ma tempe, mais au dernier moment, mes nerfs craqueront et je tirerai en l'air.

• Je préfère l'incinération à l'enterrement et les deux à un week-end avec ma famille.

• La différence entre le sexe et la mort, c'est que vous pouvez mourir tout seul sans que quelqu'un se moque de vous.

• Lorsque j'ai été kidnappé, ma mère a réagi tout de suite : elle a sous-loué ma chambre.

• Question :
Dans cent ans, qu'aimeriez-vous que l'on dise de vous ?
Woody :
— J'aimerais que l'on dise : « Il se porte bien pour son âge. »

• Et si tout n'était qu'illusion ? Si rien n'existait ? Dans ce cas, j'aurais payé ma moquette beaucoup trop cher.

• Toujours obsédé par l'idée de la mort, je médite constamment. Je ne cesse de me demander s'il existe une vie ultérieure et, s'il y en a une, peut-on m'y faire la monnaie de vingt dollars ?

• Le côté positif de la mort, c'est qu'on peut l'être en restant couché.

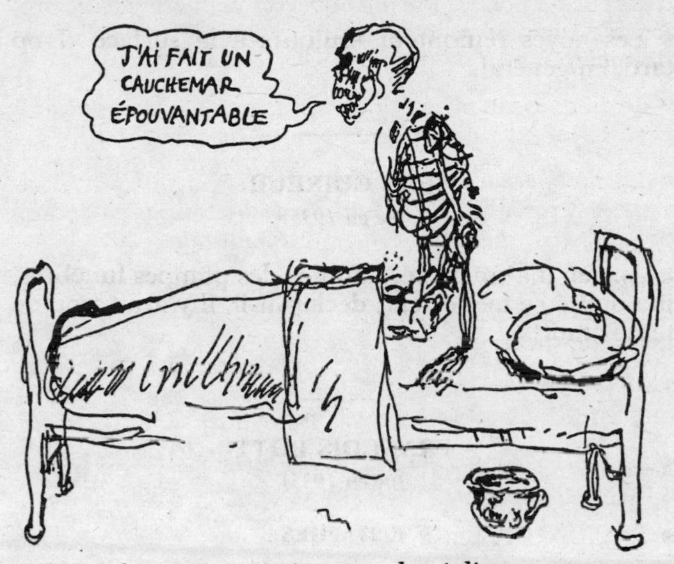


• Si un homme était immortel, réalisez-vous ce que serait sa note de boucher ?

• En faisant ma promenade matinale, j'ai encore eu des pensées morbides. Qu'est-ce qui peut bien me tourmenter autant au sujet de la mort ? Probablement les horaires. Melnick affirme que l'âme est immortelle et continue de vivre après que le corps a disparu, mais si mon âme existe sans mon corps, je suis persuadé qu'elle flottera dans mes vêtements. Enfin...

---

## ROLAND GUYARD

*(né en 1935)*

• Candidats au suicide par pendaison !
Ne comptez que sur vous-mêmes.
Ne dépendez pas des autres !

• Impuissant, il se pend, connaît une très brève rémission et en meurt.

• Les noyés remontent toujours à la surface. Trop tard, en général.

---

## JEAN CHIREUIL
*(né en 1935)*

• Ancien maître de cérémonies des pompes funèbres, il a quitté ce métier car, déclarait-il, il y avait trop de temps morts.

---

## FRANÇOIS BOTT
*(né en 1935)*

### ÉPITAPHES

• Je ne pensais pas que ça m'arriverait.

• Je ne souffre plus d'insomnies.

• Absent pour cause de décès.

• Je me regrette.

(parues dans *Le Fou Parle*)

---

## MICHEL DANSEL
*(né en 1935)*

• Je suspecte la mort d'être infiniment plus fidèle qu'une chienne, qu'une brosse à dents ou qu'une femme.

## JEAN-EDERN HALLIER
*(né en 1936)*

• La mort est une faute d'inattention.

• Ma mort n'aurait aucune importance sentimentale : ce serait une erreur technique compte tenu des livres qui me restent à écrire. Je ne me regretterais pas, je me dirais simplement que c'est une catastrophe naturelle.

• Il se dégage de cet homme une impression malsaine, celle de la mort qui serait toujours en vie.

• L'attente, c'est notre vie entière, qui passe son temps à attendre. Elle a le temps, pas nous. Alors nous ne cessons pas d'attendre — que ça morde, que ça cuise, que ça refroidisse, que ça passe au vert, son tour, le messie, le tire-fesses, sa table, la suite, le début et la fin du film, et le pire : l'attente entre deux crêpes.

• À force d'avoir été un jeune homme d'avenir, je finirai pour devenir un vieillard qui promet.

---

## GABRIEL MATZNEFF

*(né en 1936)*

• L'expression « mort naturelle » est charmante. Elle laisse supposer qu'il existe une mort surnaturelle, voire une mort contre nature; de même que la formule de certaines fiches administratives « domicile légal » sous-entend qu'il existe un domicile illégal. L'humanité se divise donc en deux espèces : ceux qui sont faits pour mourir de mort naturelle à leur domicile légal, et ceux qui sont destinés à mourir de mort surnaturelle à leur domicile illégal.

---

## BARBE

*(né en 1936)*

• Quelque chose à déclarer sur la mort ?
— Néant.

---

## LOUP

*(né en 1936)*

• Réussir sa vie, c'est trouver la mort avant qu'elle ne vous cherche.

---

## JEAN KERLEROUX

*(né en 1936)*

• Rien ne sert de courir
on part toujours à temps.

• Je me contenterai d'une petite mort de rien du tout.

• Mourir de mort naturelle, après être né accidentellement... Quelle revanche !

• J'ai bien peur que ma mort ne passe totalement inaperçue, surtout de moi.

• La mortalité a beaucoup baissé dans nos sociétés, mais l'immortalité n'a fait aucun progrès.

• J'ai raté ma vie et, néanmoins, j'suis sûr que la mort ne me ratera pas.

---

**JACQUES GAUDENZI**
*(né en 1936)*

• Vivre dans le doute c'est mourir dans l'incertitude.

---

**LOUIS BOURGEOIS**
*(né en 1937)*

• L'au-delà existe puisque la mort brille de tous ses feux.

• L'autopsie révèle que la mort leur est restée sur l'estomac.

• Certaines épitaphes ne devraient être écrites qu'à la craie.

• Le bonheur, c'est comme la mort, il faut y être passé pour en parler.

• L'agonie, c'est l'art de rester sur sa fin...

---

**JEAN-PIERRE DESCLOZEAUX**

*(né en 1938)*

• La mort, c'est dur, mais bien moins qu'un caillou dans les lentilles.

---

**DIMITRI TSAKANIKAS-ANALIS**

*(né en 1938)*

• Combien de personnes écriraient encore si la règle était de n'être publié qu'à titre posthume ?

## ROLAND TOPOR

*(né en 1938)*

• Le condamné est un mets délicieux. Mangé frais, ses chairs se détachent facilement, et ont une délicatesse que l'on serait loin d'imaginer chez les garçons, surtout ceux ayant passé une grande partie de leur existence à l'ombre.

• Extraits de *Cent bonnes raisons pour me suicider tout de suite :*

— La meilleure manière de m'assurer que je ne suis pas déjà mort !
— Le dernier recensement ne sera plus valable.
— Je grandirai dans l'estime de mes contemporains.
— J'échapperai à la hantise de l'an 2000.
— Je repartirai enfin à zéro !
— La prochaine Toussaint, ce sera ma fête.
— La vie augmente, la mort reste abordable
— La bonne technique pour retrouver mes racines.
— Pour marquer la journée d'une pierre blanche.
— Mes organes peuvent servir à d'autres qui en feront un meilleur usage.
— Place aux jeunes.
— Fini le cauchemar des années bissextiles !
— Parce que c'est une bonne façon de m'arrêter de fumer.
— Pour prouver que la bombe à neutrons ne peut rien contre moi.
— Pour maigrir sans régime, sans y penser.
— Pour leur prouver, à TOUS, que je ne me dégonfle pas.
— Pour compter ceux qui pleurent à mon enterrement.
— Pour voir de l'autre côté si j'y suis.
— Parce que je suis une espèce en voie de disparition que personne ne protège.
— Parce que j'ai préparé une très belle phrase à dire

au dernier moment, et que, si j'attends trop, je risque de l'oublier.
— Pour être le fondateur d'un nouveau style : le Dead Art.
— Parce que j'ai hâte d'utiliser l'épitaphe amusante que je me suis trouvée : BON DÉBARRAS.

• Stupéfiant ! Tout le temps que j'avais devant moi, il est derrière.

---

## POPECK

*(né en 1938)*

• Âgé de 90 ans et mourant, Lévy, célèbre boursier, reçoit la visite de son ami, le rabbin Kahn, venu lui soutenir le moral en lui disant :
« Vous vivrez jusqu'à cent ans. »
Et Lévy répondit :
« Pourquoi voulez-vous que Dieu prenne à 100 ce qu'il peut avoir à 90 ? »

---

## JACQUES VALLET

*(né en 1939)*

### MON CRÂNE
(extrait)

• Quand ma tête ricanera au fond du trou
bien nettoyée par le temps et les vers
j'imagine la paix qu'elle aura là-dessous
d'être vidée enfin de l'univers
j'imagine ses grands yeux fixant le silence

son crâne rasé de près par la mort
son front bombé faisant croire encor qu'elle pense
je la vois rire toutes dents dehors

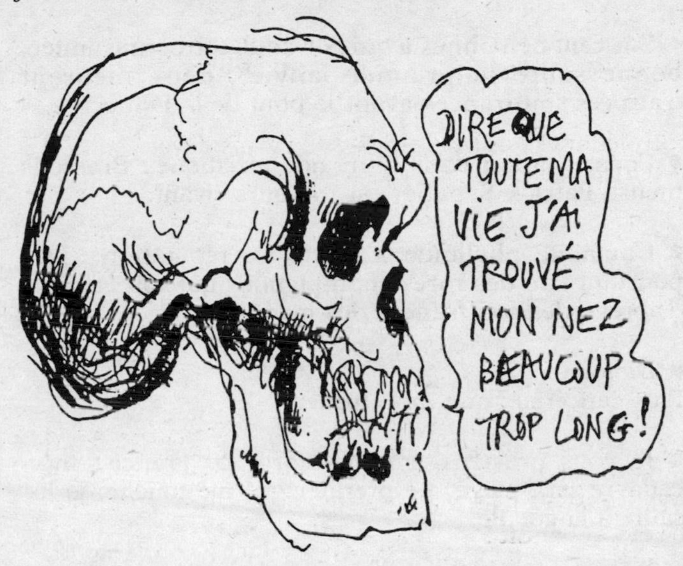


---

**YAK RIVAIS**
*(né en 1939)*

• Tout le monde répond à la pelle du fossoyeur.

---

**PIERRE DESPROGES**
*(1939-1988)*

• Suicidez-vous jeune, vous profiterez de la mort.

• L'âge mûr, par définition, c'est la période de la vie qui précède l'âge pourri.

• Au paradis, on est assis à la droite de Dieu ; c'est normal, c'est la place du mort.

• Noël au scanner, Pâques au cimetière.

• Le 19 juin 1986, le comique français Michel Colucci attaque un camion à coups de tête sur la départementale 3.

• Sur cent personnes à qui l'on souhaite bonne année, bonne santé le premier janvier, deux meurent d'atroces souffrances avant le pont de la Pentecôte.

• Consternation dans le monde artistique : Brassens meurt, Patrick Sabatier est toujours vivant.

• L'amanite phalloïde a mauvaise réputation. C'est pourtant l'un des rares champignons qui soit capable d'abréger les souffrances des myopathes.

• Dicton :
Plus cancéreux que moi, tumeur !

• Je vous préviens, croque-morts de France : mon cadavre sera piégé. Le premier qui me touche, je lui saute à la gueule.

• À la guerre, les combattants qui meurent au champ d'honneur sont pris le plus souvent de court et le temps qui leur est imparti est malheureusement écoulé avant qu'ils n'aient le réflexe de lancer quelque chose d'inoubliable à la postérité.
En temps de guerre nucléaire, le temps de réflexion est encore plus court, mais de toute façon à quoi bon, dans ce cas précis, tenter de jeter quelque chose d'inoubliable à la postérité puisqu'il n'y aura plus de postérité !

• Tout dans la vie est affaire de choix, finalement, ça commence par la tétine ou le téton, ça se termine par le chêne ou le sapin.

• Ce qu'il y a de réconfortant dans le cancer, c'est qu'un imbécile peut attraper une tumeur maligne.

• Pierre Desproges est mort. Étonnant, non ?

---

**PIERRE-GEORGES TAMINI**

*(né en 1939)*

• Qui flirte avec la mort épouse un cercueil.

---

**JAMES HOLDEN TAYLOR**

*(né en 1940)*

• Hériter, c'est recevoir les brosses à dos d'argent de votre père lorsque vous êtes déjà chauve.

---

**ROBERT BOUDET**

*(né en 1941)*

**DISTRACTION**

• Il poussa son dernier soupir.
Mais comme il n'était pas très sûr, il en poussa un autre.

• Si tu veux de la lumière pour l'éternité, laisse ton cadavre aux vers luisants.

---

## JACQUES PEARON
*(né en 1942)*

### LE MONDE EST POURRI

• Tout vous est compté
Rien absolument rien
Ne vous appartient
Même à la fin
Il faut rendre son dernier souffle.

### SUICIDE

• Ce matin, las,
Mon crayon fatigué
Est mort.
Il a sauté sur sa mine.
Un poète épuisé
Est mort
Oublié de tous.

---

## MICHEL CAZENAVE
*(né en 1942)*

• Si vous voyagez vers l'au-delà, apprenez le latin, c'est une langue morte.

---

## JACQUES DUTRONC
*(né en 1943)*

• La vie, c'est faire semblant de ne pas être mort.

---

## OLIVIER de KERSAUSON
*(né en 1944)*

• Quand un marin se baigne, c'est toujours pour la dernière fois.

• Écartelé : le voici donc plus grand mort que vivant.

• Un seul spermatozoïde sur trois millions atteint l'ovule : chaque fornication est un holocauste.

• Je préfère les vieux aux jeunes. A-t-on, en effet, déjà hérité d'un jeune ?

• Il disait être de bonne composition, il voulait plutôt dire de bonne décomposition !

---

**CATHERINE NAY**
*(née en 1944)*

• Héritier : C'est un homme qui vous prend le pouls chaque fois qu'il vous serre la main.

---

**MICHEL COLUCCI dit COLUCHE**
*(1944-1986)*

• Dix-huit morts à Miami.
Bonne nouvelle pour les Blancs : les dix-huit morts sont tous noirs.

• Si on est touché soi-même par la mort, on a intérêt à en rire, et si on n'est pas touché, on n'a pas de raison de ne pas en rire.

---

## CHARLES SIMOND

*(né en 1946)*

• On offre aux morts une minute de silence.
Ils en possèdent une éternité.
Peut-être souhaiteraient-ils une minute de notre bruit de vivants ?

• Même après ma mort
Je ne t'oublierai pas
Je ferai s'il le faut
Un nœud à mon linceul.

---

## JEAN-MICHEL RIBES

*(né en 1946)*

• Mai 1626. Comme chaque dimanche à Bagatelle, Galilée envoie devant lui sa balle en mousse à son teckel qui la lui rapporte trois ans après en revenant derrière lui. Galilée en déduit que la terre est ronde. La SPA le fait brûler pour avoir usurpé une découverte qui revenait à son chien.

• À la différence des hydres, on a beau couper la tête des rois, ils repoussent toujours.

## JEAN BROUSSE
*(né en 1947)*

• Je sais que je mourrai
D'une mort qui conserve
Au calme et bien au frais.

## MARCEL SYLVESTRE
*(né en 1947)*

• Je suis un vrai écologiste car je suis biodégradable.

• La fin justifie les moyens.
Il naquit dans une famille moyenne où il passa une enfance moyenne entouré d'une affection moyenne.
Élève moyen, il entreprit des études moyennes jusqu'au baccalauréat, où il obtint la mention « moyen ».
Moyennement apprécié de ses collègues et supérieurs, il fit une carrière moyenne, effectuant un travail moyen dans une branche moyenne qui l'intéressait moyennement.

Il aima moyennement quelques femmes moyennes qui l'aimèrent de même.
Il mourut prématurément, à l'âge de quarante-cinq ans.
En pleine possession de ses moyens.

---

### YVES FRÉMION
*(né en 1947)*

• GÉRANIUM (Théophile Amédée Chassepot de) : Inventeur botaniste français de gauche (1722-1800). Il inventa la plante célèbre qui porte son nom (famille des Géraniacées), puis la perfectionna jusqu'à obtenir un géranium rouge. Il put alors mourir heureux. On mit des roses sur sa tombe, ce qui prouve à quel point il fut mécompris de ses contemporains.

• INCONNU (Oreste) : Militaire français (1861-1915), né à Guebwiller et mort à Clodwiller, déchiqueté par un obus allemand. À 54 ans, il n'avait toujours pas réussi à devenir première classe, bien qu'engagé volontaire à 18 ans. Sa bêtise et sa maladresse étaient légendaires, au point que la Patrie lui a élevé un monument à Paris, pour engager les soldats des armées futures à ne pas suivre un tel exemple. Chaque année, le 11 novembre (anniversaire d'une défaite lamentable), pour faire honte au Soldat inconnu, les vrais hommes virils vêtus de leur plus bel uniforme, viennent chatouiller son squelette avec un bâton enflammé pour voir si ça le fait toujours rire.

---

### PIERRE DRACHLINE
*(né en 1948)*

• Né vieux, je n'ai même pas su mourir jeune.

---

### RÉMOND PUEL de LOBEL
*(né en 1948)*

• Je suis mort, je n'en reviens pas.

---

**ERWAN PICARD**
*(né en 1949)*

• Pierres tombales : les jours se suivent et nous rassemblent.

• Morgue militaire : la salle des objets troués.

• Tu accours au combat ; mais pourquoi en tues-tu ?

---

**PATRICE DELBOURG**
*(né en 1949)*

• Ceci est mon dernier exercice de stèle.

---

**DANIEL VADET**
*(né en 1950)*

• Je ne joue plus à la roulette russe, car je perds tout le temps.

---

**JACQUES PATER**
*(né en 1950)*

• De quoi ci-gît-il ?

• La mort a les nerfs à pleurs de faux.

---

**JEAN DELUCA**
*(né en 1953)*

• Un arrêt de mort est surtout un arrêt de vie.

## PHILIPPE HÉRACLÈS

*(né en 1954)*

- Les gens n'accordent guère d'importance à la vie, la preuve : quand ils la perdent, ils ne la réclament jamais.
- Il n'est pas venu à l'enterrement, il a préféré faire le mort sans pour autant prendre sa place.
- Si l'armée française n'avait pas perdu tant d'hommes à Waterloo, quelle armée on aurait aujourd'hui !
- On peut avoir une double vie même si l'on n'a qu'une mort.
- L'éternité, c'est sans lendemain.
- Travailler pour rien, c'est démoralisant. C'est comme mourir pour rien.
- Il est mort d'un torticolis qui a mal tourné.
- J'ai tellement horreur des enterrements que, si je le pouvais, je n'irais pas au mien.

## PASCAL GILHODEZ

*(né en 1954)*

### AVIS

- Les personnes qui ne connaissent pas encore ma grand-mère sont priées de se dépêcher. On ferme le cercueil à 14 heures.

## JEAN-MARIE GOURIO

*(né en 1956)*

- C'est des morts tellement maigres, dans ces pays-là, que même les asticots sont sous-alimentés.

- Cette année, j'ai pris la résolution d'arrêter de vieillir. J'ai même pas tenu une seconde, tu parles d'une volonté !

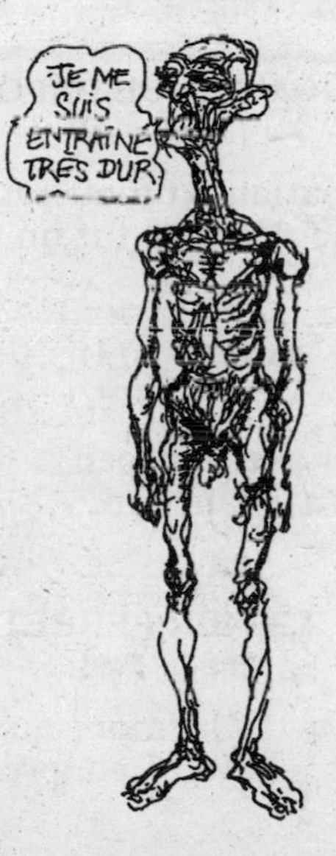

---

**LIONEL CHRZANOWSKI**
*(né en 1958)*

• Si je devais mourir un jour, je crois qu'avec le temps, je finirais par me regretter.

---

**SERVANE PRUNIER**
*(née en 1959)*

• Même un adepte de la politesse préfère un bonjour désinvolte au salut éternel.

• Quand on fait le mort, c'est naturellement un rôle de décomposition.

---

**JEAN-YVES CLÉMENT**
*(né en 1959)*

• On vieillit quand on se regarde de plus en plus loin.

---

**DOMINIQUE PAPON**
*(né en 1961)*

• Journaliste, il parlait d'un ouvrage sur la mort :
« Pour un coup de décès ce fut un coup de maître. »

---

**DAVID BLOCH**
*(né en 1961)*

• Si naître c'est mourir un peu,
N'être, c'est mourir beaucoup.

---

**XAVIER PERRET**
*(né en 1963)*

• Mieux vaut rire de la mort qu'en pleurer. Rions donc comme des chevaux en prenant la mort aux dents.

---

## MARIE-CHRISTINE COUFFIGNAL

*(née en 1965)*

• Dans un escalier, la marche la plus dangereuse, c'est la marche funèbre.

---

## PHILIPPE GREFFIN

*(né en 1965)*

• Chacun pour soi, et la mort pour tous.

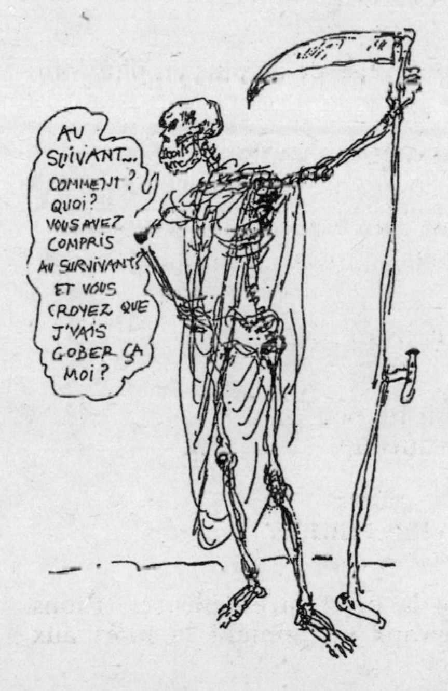

# Les épitaphes des défunts animés

• Il serait à souhaiter que chacun fît son épitaphe de bonne heure, qu'il la fît la plus flatteuse qu'il est possible, et qu'il employât toute sa vie à la mériter.

*(Jean-François Marmontel, 1723-1799)*

• ÉPITAPHE : Inscription sur une tombe, montrant que les vertus acquises par le trépas ont un effet rétroactif.

*(Ambrose Bierce, 1842-1914)*

• ÉPITAPHE : Quelques vers sur beaucoup d'autres.

*(Léo Campion, 1905-1992)*

## CLÉMENT MAROT
*(1496-1544)*

### ÉPITAPHE DE DIDIER ÉRASME *(1469-1536)*

• Le grans Érasme ici repose
Quiconque n'en sait autre chose
Aussi peu qu'une taupe il voit
Aussi peu qu'une pierre il oit[1].

---

## ÉTIENNE JODELLE
*(1532-1573)*

### ÉPITAPHE LIBERTINE

• Ci est gisant sous cette pierre
l'un des membres de frère Pierre
Non un des bras, une des mains,
Ni pied, ni jambe hélas, humains,
Mais bien le membre le plus cher
que sur lui on eût pu toucher.
C'est son billard, c'est son bourdon,
son chalumeau, son gros bedon,
Sa pièce de chair, son bidault,
son pousse-bourre, son ribault,
son gentil baston pastoral.

---

## JEAN PASSERAT
*(1534-1602)*

• Amis, de mauvais vers ne chargez point ma tombe.

1. Entend.

---

## CLAUDE MERMET

*(1550-?)*

### I

### ÉPITAPHE
### SUR UN QUI PLEURAIT
### LA MORT DU BANQUIER

• Ne pleure plus, tu te fais tort;
Ce n'est qu'une personne morte.
RÉPONSE :
Ah! je ne pleure pas le mort.
Je pleure l'argent qu'il m'emporte.

### II

### ÉPITAPHE D'UN RICHE DÉCÉDÉ

• L'héritier va pleurant le mort,
Pour la vieille coutume ensuivre;
Mais si le mort retournait vivre,
L'héritier pleurerait plus fort.

---

## MATHURIN RÉGNIER

*(1573-1613)*

### ÉPITAPHE DE RÉGNIER

• J'ai vécu sans nul pensement,
Me laissant aller doucement
À la bonne loi naturelle,

Et je m'étonne fort pourquoi
La mort osa songer à moi,
Qui ne songeai jamais à elle.

---

**JACQUES du LORENS**

*(1580-1655)*

• Ci-gît ma femme !
Ah ! Qu'elle est bien
Pour son repos
Et pour le mien !

## MARC-ANTOINE GIRARD de SAINT-AMANT

*(1594-1661)*

### ÉPITAPHE DE PASQUET

*(XVIIe siècle)*

• Ci-gît un fou nommé Pasquet,
Qui mourut d'un coup de mousquet
Comme il voulait lever la crête;
Quant à moi, je crois que le sort
Lui mit du plomb dedans la tête
Pour le rendre sage en sa mort.

## MARIN LE ROY, SIEUR de GOMBERVILLE

*(1600-1674)*

### ÉPITAPHE D'UN HOMME DE LETTRES

• Les grands chargent leurs sépultures
De cent éloges superflus :
Passant, en peu de mots voici mon aventure :
Ma naissance fut très obscure,
Et ma mort l'est encore plus.

## JACQUES de CAILLY

*(1604-1673)*

### ÉPITAPHE D'UN PRODIGUE

• Ci-gît le prodigue Airancy,
Ce glouton qui mourut plus gueux que les apôtres.
Ne mangera-t-il point la terre où le voici ?
Il en a mangé beaucoup d'autres.

### ÉPITAPHE D'UNE AVARE

• Par testament, dame Denise
Quoiqu'elle possédât un ample revenu,
Ordonna que son corps fût inhumé tout nu
Pour épargner une chemise.

## PAUL SCARRON

*(1610-1660)*

### ÉPITAPHE

• Celui qui ci maintenant dort
Fit plus de pitié que d'envie,
Et souffrit mille fois la mort
Avant que de perdre la vie.
Passant, ne fais ici de bruit,
Prends garde qu'aucun ne l'éveille;
Car voici la première nuit
Que le pauvre Scarron sommeille.

## ISAAC de BENSERADE
*(1613-1691)*

### ÉPITAPHES
### I. D'UN AVOCAT

• Ci-gît qui ne cessa d'étourdir les humains
Et qui, dans le barreau, n'eut relâche ni pause :
Le meilleur droit du monde eût péri dans ses mains,
Aussi, contre la mort, perdit-il pas sa cause ?

### II. D'UN BON MARI

• Ci-gît un bon mari dont l'exemple est à suivre,
Patient au-delà du temps qu'il a vécu,
Qui, pour avoir cessé de vivre,
Ne cessa pas d'être cocu.

## GILLES MÉNAGE
*(1613-1692)*

### ÉPITAPHE DE L'ABBÉ BONNET

• Ci-dessous gît Monsieur l'Abbé
Qui ne savait ni A ni B.
Dieu nous en doit bientôt un autre
Qui sache au moins sa Patenôtre.

## COMTE ROGER de BUSSY-RABUTIN
*(1618-1693)*

### ÉPITAPHE DE MOLIÈRE
*(1622-1673)*

• Passant, ici repose un qu'on dit être mort
Je ne sais s'il l'est ou s'il dort
Sa maladie imaginaire
Ne peut l'avoir fait mourir
Car il aimait contrefaire
C'est un grand comédien
Quoi qu'il en soit, ci-gît Molière :
S'il fait le mort, il le fait bien.

## SAVINIEN DE CYRANO de BERGERAC

*(1619-1655)*

### ÉPITAPHE PAR LUI-MÊME

• Ci-gît Cyrano de Bergerac
Qui fut tout
Et ne fut rien.

## JEAN de LA FONTAINE

*(1621-1695)*

### ÉPITAPHE D'UN PARESSEUX OU DE LA FONTAINE PAR LUI-MÊME

• Jean s'en alla comme il était venu,
Mangea le fonds avec le revenu,
Tint les trésors chose peu nécessaire.
Quant à son temps, bien sut le dispenser :
Deux parts en fit, dont il voulait passer,
L'une à dormir et l'autre à ne rien faire.

### CLAUDE EMMANUEL LHUILLIER dit CHAPELLE

*(1626-1686)*

#### SON ÉPITAPHE

• Ci-gît qu'on aima comme quatre,
Qui n'eut ni force ni vertu ;
Et qui fut soldat sans se battre,
Et poète sans être battu.

---

### LA GIRAUDIÈRE

*(première moitié du XVIIe siècle)*

#### D'UN TOMBEAU

• À quoi bon ce riche monument
Et cette épitaphe qui ment ?
Quelle passion vous convie
À nous louer cet homme à tort ?
On n'a point su qu'il fut en vie ;
Pourquoi saurait-on qu'il est mort ?

---

### BERNARD de LA MONNOYE

*(1641-1728)*

#### POUR LOUIS BARBIER

Évêque de Langres, qui, de par son testament, léguait cent écus à qui ferait son épitaphe.

• Ci-gît un très grand personnage
Qui fut d'un illustre lignage,
Qui posséda mille vertus,
Qui ne trompa jamais,
Qui fut toujours fort sage,
Je n'en dirai pas davantage :
C'est trop mentir pour cent écus !

ÉPITAPHE DE GILLES MÉNAGE

• Laissons en paix Monsieur Ménage;
C'était un trop bon personnage
Pour n'être pas de ses amis.
Souffrez qu'à son tour il repose,
Lui, de qui les vers et la prose
Nous ont si souvent endormis.

## ALEXIS PIRON

*(1689-1773)*

• Ci-gît Piron,
Qui ne fut rien
Pas même
Académicien.

• Ami passant, qui désires connaître,
Ce que je fus : je ne voulus rien être;
Je vécus nul; et certes je fis bien;
Car, après tout, bien fou qui se propose,
De rien venant et retournant à rien,
D'être ici-bas, en passant, quelque chose.

## FRANÇOIS MARIE AROUET dit VOLTAIRE

*(1694-1778)*

### ÉPITAPHE DE MONSIEUR DE SARDIÈRES

*(XVIIIe siècle)*

• Ci-gît qui toujours babilla,
Sans avoir jamais rien à dire,
Dans tous les livres farfouilla,
Sans avoir jamais pu s'instruire,
Et beaucoup d'écrits barbouilla,
Sans qu'on ait jamais pu les lire.

• Ci-gît Voltaire
de l'Académie française.
Il a franchi le seuil
Et n'a quitté son FAUTEUIL
Que pour le Père — LACHAISE.

## PAUL DESFORGES-MAILLARD

*(1699-1772)*

### ÉPITAPHE D'UN MARI ET DE SA FEMME

• Passant, la rigueur des destins
A renfermé sous cette lame
Un tendre époux et sa femme,
Et celle de tous ses voisins.

## JEAN-JACQUES ROUSSEAU

*(1712-1778)*

### ÉPITAPHE DE VOLTAIRE

• Plus bel esprit que beau génie,
Sans foi, sans bonheur, sans vertu,
Il mourut comme il a vécu,
Couvert de gloire et d'infamie.

## LE MARQUIS de BONNAY

*(?-?)*

### ÉPITAPHE POUR CHARLES JOSEPH, PRINCE DE LIGNE

*(1735-1814)*

• Ici gît le Prince de Ligne,
Il est mort tout de son long couché,
Jadis il a beaucoup péché,
Mais ce n'était qu'à la ligne.

## JEAN FRANÇOIS de SAINT-LAMBERT

*(1716-1803)*

• Ci-gît un vieil atrabilaire :
Après l'avoir fait enterrer,
Sa veuve, n'ayant rien à faire,
Prit le parti de le pleurer.

---

**MADAME de BOUFFLERS**

*(1725-1800)*

**ÉPITAPHE**

• Ci-gît dans une paix profonde,
Une dame de volupté
Qui, pour plus de sécurité,
Fit son paradis en ce monde.

---

**CHARLES de BEAUMONT**
**dit LE CHEVALIER d'ÉON**

*(1728-1810)*

• Nu, du ciel je suis descendu,
Et nu je suis sous cette pierre.
Donc pour avoir vécu sur terre,
Je n'ai ni gagné ni perdu.

---

**ANTOINE, dit LE COMTE de RIVAROL**

*(1753-1801)*

• Ci-gît
Antoine, Comte de Rivarol,
La paresse nous l'avait ravi
Avant la mort.

---

**ÉVARISTE DÉSIRÉ de PARNY**

*(1753-1814)*

• Ici gît qui toujours douta.
Dieu par lui fut mis en problème;
Il doute de son être même.
Mais de douter il s'ennuya;
Et, las de cette nuit profonde,

Hier au soir il est parti
Pour aller voir en l'autre monde
Ce qu'il faut croire en celui-ci.

---

## PIERRE-ANTOINE LEBRUN

*(1785-1873)*

### ÉPITAPHE

• Si vous lisez dans l'épitaphe
de Fabrice, qu'il fut toujours
homme de bien,
C'est une faute d'orthographe :
Passants, lisez homme de rien.

### ÉPITAPHE D'UN CÉLIBATAIRE

• Ci-gît qui fut célibataire
Et n'eut que vices et défauts.
Plût à Dieu qu'on eût pu sur le tombeau du père
Jadis écrire aussi ces mots :
Ci-gît qui fut célibataire.

---

## NESTOR ROQUEPLAN

*(1804-1870)*

### ÉPITAPHE SUR L'ÉCRIVAIN PIERRE BAOUR-LORMIAN

*(1770-1854)*

• Ne me demandez pas si c'est Baour
Qu'on trouve dans ce sombre tombeau :
On le sait au besoin de bâiller qu'on éprouve
En passant près de son tombeau.

---

## BOREL D'HAUTERIVE dit PÉTRUS BOREL

*(1809-1859)*

### SUR UN CRITIQUE

• Lorsque, mort, dans la terre, on portera tes os,
Pour la première fois, on verra qu'un cadavre
Peut dégoûter les asticots.

---

## ERNEST RENAN
*(1823-1892)*

### POUR MARCELIN BERTHELOT
*(1827-1907)*

- Ci-gît Berthelot
À la seule place qu'il n'ait pas demandée.

---

## CHARLES MONSELET
*(1825-1888)*

### ÉPITAPHE DU GASTRONOME

- Versez sur ma mémoire chère
Quelques larmes de chambertin
Et sur ma tombe solitaire
Plantez des soles... au gratin.

---

## PAUL LÉAUTAUD
*(1872-1956)*

ÉPITAPHE

- Ci-gît Paul Léautaud
Plus connu : Maurice Boissard.
Quand on l'enterra :
« C'est bien tôt ! »
Dirent quelques-uns, mais à part
Beaucoup pensèrent :
« C'est bien tard. »

---

## LÉO CAMPION
*(1905-1992)*

SON ÉPITAPHE

- Ci-
gît
Léo
Campion
poil au
croupion.

## ÉPITAPHE POUR LE PRÉSIDENT FÉLIX FAURE
*(1841-1899)*

Mort dans les bras d'une de ses maîtresses

- Il voulut être César
Mais il ne fut que Pompée.

(On surnomma aussi sa maîtresse Mme Steinheil « La pompe funèbre ».)

---

## HERVÉ BAZIN
*(né en 1911)*

ÉPITAPHE

- Né en
(ici la date)
Néant
(ici la date)

## ROGER GOUZE
*(né en 1912)*

• Ci-gît Tristan Tzara
Que la mort ici-bas
Seule désarçonna
Depuis qu'il enfourcha
Son dada.

## CHARLES AZNAVOUR
*(né en 1924)*

### ÉPITAPHE POUR UN POÈTE

• « La revanche des vers. »

---

## JACQUES KALAYDJIAN dit JICKA

*(né en 1925)*

### ÉPITAPHE

• Ma mère m'a porté
La vie m'a supporté
La mort m'a emporté.

• Ci-Jicka
dessinateur

---

## ROLAND BACRI

*(né en 1926)*

• Ici gît suit
Ici gît reste.

---

## BREYTEN BREYTENBACH

*(né en 1939)*

• Ci-gît
Hélas
Moi

### ÉPITAPHE DE PHILIPPE CHASTRUSSE

*(1941-1985)*

Imprimeur à Brive qui composa et imprima le tome 1 et le tome 2 du *Petit dictionnaire à mourir de rire* dont la particularité était sa découpe en forme de cercueil.

• Ici repose Philippe Chastrusse
Imprimeur
La composition fut toute sa vie
et bien que son caractère incorrigible
le mît parfois à rude épreuve
il fit toujours bonne impression.

## JEAN-PIERRE TANDIN

*(né en 1942)*

### ÉPITAPHE DE DON JUAN

• Je meurs
d'envie
de vous connaître.

## JEAN BROUSSE

*(né en 1947)*

• Ici repose
un homme
sans son ordinateur
selon sa toute dernière formule :
D + C + D = 0

# Épitaphes anonymes

« Bon père, bonne épouse »,
disent les épitaphes.
C'est au cimetière qu'on voit
les meilleurs ménages.

---

## ÉPITAPHE D'ALEXANDRE LE GRAND

*(356-323 av. J.-C.)*

• Un tombeau suffit
À celui auquel
N'avait pu suffire l'univers.

---

## ÉPITAPHE DU GRAMMAIRIEN JEAN VAN PAUTEREN dit DESPAUTÈRE

*(1460-1520)*

• Il enseigna la grammaire toute sa vie, cependant, il ne put décliner la tombe.

---

## ÉPITAPHE D'ARMAND JEAN DU PLESSIS, CARDINAL DE RICHELIEU

*(1585-1642)*

• Ici gît le Cardinal
De Richelieu
Le mal qu'il fit, il le fit bien,
Le bien qu'il fit, il le fit mal.

---

## ÉPITAPHE DE JEAN-BAPTISTE COLBERT

*(1619-1683)*

• Ci-gît l'auteur de tous impôts
Dont à présent la France abonde,
Ne priez pas pour son repos,
Puisqu'il l'ôtait à tout le monde.

---

## ÉPITAPHE DE SAXE dit LE MARÉCHAL DE SAXE

*(1696-1750)*

• Son courage l'a fait admirer d'un chac 1
Il eut des ennemis, mais il triompha 2
Les rois qu'il défendit sont au nombre de 3

Pour Louis, son grand cœur se serait mis en 4
En amour, c'était peu pour lui d'aller à 5
Nous l'aurions s'il n'eût fait que le berger Tir 6
Mais pour avoir souvent passé douze, hic ja 7
Il mourut en novembre, et de ce mois le 8
Strasbourg contient sa cendre en un tombeau tout 9
Pour tant de Te Deum pas un De Profun 10

Total : 55

(Mort dans sa 55e année.)

---

## ÉPITAPHE DE LOUIS XV LE BIEN-AIMÉ

*(1710-1774)*

• Ci-gît Louis, ce pauvre Roi,
On dit qu'il fut bon... mais à quoi ?

---

## ÉPITAPHE DE CATHERINE II DE RUSSIE

*(1729-1796)*

## ET DE PIERRE III

*(1728-1762)*

• Désunis dans la vie,
unis dans la mort.

---

## ÉPITAPHE DE MAXIMILIEN DE ROBESPIERRE

*(1758-1794)*

• Passant, ne pleure pas sur ma mort :
Si je vivais, tu serais mort.

---

## ÉPITAPHE D'ADOLPHE THIERS

*(1797-1877)*

• On dira quand il sera mort,
Pour glorifier sa mémoire :
Ci-gît qui vient encore
De libérer le territoire.

---

## ÉPITAPHE POUR CLÉMENT

*(XVIIIe siècle)*

• Au paresseux Clément la lumière est ravie,
Clément dormait toujours, et fait après sa mort
Ce qu'il faisait pendant sa vie :
Clément dormait, et Clément dort.

---

## ÉPITAPHE D'EDMOND ABOUT

*(1828-1885)*

• Ici-gît
Edmond About
de souffle.

---

## ÉPITAPHE D'ALPHONSE ALLAIS

*(1854-1905)*

• Ci-gît Allais
Sans retour.

---

## ÉPITAPHE DE VICTOR MARGUERITTE

*(1866-1942)*

• Margueritte ici repose.
Les vers qui le décomposent
N'ont pas à faire grand-chose.

---

## ÉPITAPHE D'HENRY BATAILLE

*(1872-1922)*

• Ci-gît Bataille Henry
À peine un peu plus pourri.

## ÉPITAPHE DE MAURICE SAILLAND dit CURNONSKY

*(1872-1956)*

• Ci-gît Curnonsky.
Mort de la tombe voisine,
Veille sur tes pissenlits :
Il te mangerait les racines.

## ÉPITAPHE DE FRANÇOIS DE CHASSE

*(XIXe siècle)*

• Ci-gît
le corps
de Chasse

## ÉPITAPHE DU BARON DE SELLES

*(XIX^e siècle)*

• Dieu fit Selles,
Dieu défit Selles,
Et aux vers mit Selles.

---

## ÉPITAPHE DE JACKSON

(XIX^e siècle)

*Il découvrit les propriétés de l'éther.*

• Ci-gît Jackson,
Regrets éthernels.

---

## ÉPITAPHE DE MAURICE BIRAUD

*(1922-1983)*

• Ici repose Maurice Biraud,
Qui n'a jamais eu besoin de porteur
pour son bagage intellectuel.

(*Épitaphe adaptée d'un texte de Maurice Biraud.*)

---

## RELEVÉ SUR UNE TOMBE

• Tant qu'il y a de la vie,
Il y a du désespoir.

---

## POUR UNE ACTRICE

*(XX^e siècle)*

• Ci-gît Réjane, qu'on la pleure !
On l'incinéra ; cela pour
Que jusques à sa dernière heure
Elle n'échappât point au four !

---

## ÉPITAPHE D'UNE LINGÈRE

• Elle passa,
Repassa
Et trépassa.

---

## ÉPITAPHE ATTRIBUÉE À SACHA GUITRY ET À SA COMPAGNE JACQUELINE DELUBAC

• Sur la tombe de la femme :
*Enfin froide.*

• Sur la tombe du mari :
*Enfin raide.*

---

## ÉPITAPHE D'UNE BELLE-MÈRE

• Si jamais Dieu lui fait grâce,
Le ciel deviendra un enfer.

---

## ÉPITAPHE D'UN PACIFISTE

• Paix à ses cendres.

---

## ÉPITAPHE D'UN BANQUIER

• La dernière
Échéance
Lui fut
Fatale.

## ÉPITAPHE D'UN COMÉDIEN

• Ici gît un comédien
Oublié de tous,
Même de la mort,
Qui ne le rappela
Que lorsqu'il eut 102 ans.

## ÉPITAPHE D'UNE ÉPOUSE

• Elle ne voulait que mon bonheur.
Sa mort l'a bien prouvé.

## ÉPITAPHE D'UN AGENT DE VOYAGES

• Visiter l'au-delà,
C'est possible.
Dès aujourd'hui,
A.H.
Vous y attend.

---

## ÉPITAPHE D'UN ALCOOLIQUE

• Seule la terre où il repose
A toujours été plus ronde que lui.

---

## ÉPITAPHE D'UN TSIGANE

• Ici-Gitan.

---

## ÉPITAPHE D'UN GUILLOTINÉ

• Ici gît un homme
À tête reposée.

---

## ÉPITAPHE D'UN MALCHANCEUX

• Il rata tout ce qu'il entreprit
Et voulant mourir
On dut l'enterrer vivant.

---

## ÉPITAPHE D'UN PEINTRE

• Ici gît une nature morte.

---

## ÉPITAPHE D'UN MALADE

• Ci-gît un malade
Qui était entre la vie et la mort
Si bien qu'aujourd'hui encore
L'on ne sait
Qui de la vie ou de la mort l'emporta.

---

## ÉPITAPHE

• Ci-gît, sous ce petit arbre,
Un poète sans grand renom :
Nul ne se souvint de son nom,
Pas même le graveur sur marbre !

---

## ÉPITAPHE

• Ci-gît, ma femme, grâce à Dieu !
Cette furie perpétuelle
Empoisonna ma vie.
Passant, écoute mon avis :
Avant qu'elle ne te querelle,
Quitte prudemment ces lieux.

---

## ÉPITAPHE

• Ici gît
un rimailleur impénitent
qui aima son art jusqu'à l'abîme.
Lorsque vint son dernier temps
il dit :
« La mort, à quoi ça rime ? »

---

## ÉPITAPHE

• Ci-gît Cléon, ce bavard,
Qui n'a jamais dit mal d'autrui
Car il n'a jamais
Parlé que de lui.

---

## ÉPITAPHE D'UN POÈTE

• Entré sans sonnet,
Ci-gît un poète.

---

## ÉPITAPHE D'UN BÈGUE

• Pour lui,
la réalité
Dépassa toujours
la diction.

---

## ÉPITAPHE D'UN MUSICIEN, NOMMÉ RÉMI, MORT D'UNE INDIGESTION DE SOLES

• À
La Mi Ré Mi
La Sol La Mi La!

---

## ÉPITAPHE D'UN MENDIANT

• Ici gît un mendiant
Ne vous arrêtez pas
Il est encore capable
De vous tendre la main.

---

## ÉPITAPHE D'UN AVARE

• Ci-gît dessous ce marbre blanc
Le plus avare homme de Rennes,
Qui mourut tout exprès le dernier jour de l'an,
De peur de donner des étrennes.

## ÉPITAPHE D'UNE BAVARDE

• Ci-gît madame Marguerite,
Qui ne fut ni grande ni petite,
Elle mourut le deux du mois,
Et se tut ce jour-là pour la première fois.

## ÉPITAPHE D'UN MEMBRE DU CLERGÉ QUI AIMAIT LE JEU

• Le bon prélat qui gît sous cette pierre
Aima le jeu plus qu'un homme de la terre.
Quand il mourut, il n'avait pas un liard
Et comme perdre était chez lui coutume
S'il a gagné le paradis,
Ce doit être un grand coup de hasard.

## ÉPITAPHE D'UN BUVEUR

• Ci-gît un enfant de Silène,
Qui soutint tant qu'il put
L'honneur du cabaret ;
Il but toute sa vie
Et jamais sans sujet :
À vingt ans, il buvait pour oublier Climène,
À trente ans, par oisiveté ;
À quarante, il noyait sa sombre inquiétude ;
À cinquante, ce fut une vieille habitude
Qui devint, à soixante, une nécessité.

## ÉPITAPHE D'UN POSTIER

• Retour franco à l'expéditeur.

---

## ÉPITAPHE D'UN PROFESSEUR

• To be or not to be,
Telle n'est plus la question.

## ÉPITAPHE D'UN AVARE

• Ci-gît un procureur de science profonde,
Qui pendant soixante ans pilla le bien d'autrui.
Il pleure maintenant s'il voit de l'autre monde
Que tu lis, sans payer, ces vers qu'on fit pour lui.

## ÉPITAPHES PUBLICITAIRES

### AUX ÉTATS-UNIS

• Ici repose V... V..., mort avec toutes ses dents grâce au dentifrice L...

• À mon épouse N..., décédée avec tous ses cheveux grâce au shampooing O...

• Ici ne repose personne grâce aux préservatifs R...

• Au cimetière d'Elvin (Minnesota) :
Ci-gît Charles Wallis, qui a toujours voté démocrate.

## ÉPITAPHE DEVINETTE

### RELEVÉ SUR UNE TOMBE DES ANCIENS CIMETIÈRES DE PARIS

• Ci-gît le père. Ci-gît la fille.
Ci-gît la sœur. Ci-gît le frère.
Ci-gît l'époux. Ci-gît la femme.
Deux corps seuls gisent ici.
EXPLICATION :
L'homme avait épousé la fille
qu'il avait eue de sa propre mère.

## SUR LA TOMBE D'UN COUPLE

• Ici on fait bon ménage.

## ÉPITAPHE D'UN PENDU

• Ici repose un pauvre pendu
Qui déclara
Après avoir entendu la sentence
Qu'il s'en balançait.

## ÉPITAPHE D'UN COW-BOY

• Mort d'un empoisonnement de plomb.

## ÉPITAPHE D'UN VEUF

• Ci-gît Alfred S...
Après son veuvage,
Il vécut vingt ans
Auprès de sa belle-mère
Et il est mort
Avec le ferme espoir
De connaître un monde meilleur.

### ÉPITAPHE GRAVÉE AU PÈRE-LACHAISE

• À mon mari, mort après un an de mariage.
Sa femme reconnaissante.

### ÉPITAPHE D'UN COMMERÇANT

• Ci-gît M. Y... qui fut
Bon père et bon époux
Sa veuve inconsolable continue
Son commerce, au... rue de...
À P...

### ÉPITAPHE D'UN HOMME, MORT RUINÉ

• Ici gît qui
pour la première fois
a rempli la caisse.

### ÉPITAPHE D'UN NAVIGATEUR

• Il a enfin atteint la terre promise.

### GRAVÉ SUR UNE TOMBE :

• Courage !
Tu es mort sans avoir eu à pleurer aucun de tes enfants et en laissant vivante l'épouse que tu aimais.

### ÉPITAPHE D'UN CULTIVATEUR

• Ici gît Gustave Saison
Disparu à la morte-saison.

### INSCRIPTION FUNÉRAIRE CENSURÉE EN 1877

• Passants... à bientôt !

## SUR UNE TOMBE

• Je vous l'avais bien dit
Que j'étais malade !

## ÉPITAPHE AU CIMETIÈRE ZOOLOGIQUE D'ASNIÈRES

• Mimiss
Sa mémère
À son trouniouniousse.

## FORMULATION NOTÉE DANS UN CIMETIÈRE DE PROVINCE

• « Ceux qui sont passés
à ceux qui passent. »

# Les condamnés et autres raccourcis vers la mort

• On n'abolira jamais complètement la peine de mort en France car au train où vont les instructions, il y aura toujours des prévenus qui mourront de vieillesse.

(Alfred de Vigny, *1797-1863)*

---

## ÉLECTROCUTÉ

*(Anonyme)*

• Sur la chaise électrique :
« Monsieur le Pasteur, j'ai peur, accordez-moi une faveur : tenez-moi la main ! »

• S'adressant au bourreau :
« J'aimerais savoir comment fonctionne la chaise électrique, vous pouvez me mettre au courant ! »

---

## CRUCIFIÉ

### PHILIPPE SOULAS

*(né en 1932)*

• Dernière parole d'un crucifié :
« Qui a dit que toucher du bois portait bonheur ? »

---

## DÉCAPITÉ

### ERNST JÜNGER

*(né en 1895-1995)*

• La pitié du bourreau consiste à frapper d'un coup sûr.

---

## FUSILLÉ

### GUSTAVE FLAUBERT

*(1821-1880)*

• Fusiller est plus noble que guillotiner.
Ah ! Il faut voir la joie de celui à qui on accorde cette faveur.

---

## MATA-HARI

*(1876-1917)*

• Avant de mourir fusillée
(phrase qui lui a été attribuée) :
« C'est bien la première fois qu'on m'aura pour douze balles. »

---

## LOUIS-FERDINAND DESTOUCHES dit CÉLINE

*(1894-1961)*

• Vous me faites chier avec Brasillach !
Il n'a pas eu le temps de s'enrhumer, ils l'ont fusillé à chaud !

---

## MARJAN

*(né en 1918)*

• L'homme refusa d'avoir le bandeau sur les yeux et avec un joli mouvement de menton, il déclara qu'il vaudrait mieux, certes beaucoup mieux, l'accorder au meilleur tireur du peloton.

---

## CAVANNA

*(né en 1923)*

• L'autopsie de Mata-Hari a révélé que la célèbre espionne avait succombé des suites de la pénétration de douze balles de fusil Lebel dans la poitrine et d'une écharde de bois de sapin dans le poignet gauche. C'est depuis ce jour que, dans l'armée française, par mesure d'hygiène, les poteaux réglementaires pour fusillés sont en tôle galvanisée.

## WOODY ALLEN

*(né en 1935)*

• Je devais être fusillé ce matin à six heures. Mais comme j'avais un bon avocat, le peloton n'arrivera qu'à six heures trente.

## ANONYME

• Avant d'être fusillé, le condamné refusa la dernière cigarette en déclarant qu'il ne voulait pas prendre de mauvaises habitudes.

## GUILLOTINÉS

### GEORGES JACQUES DANTON
*(1759-1794)*

• C'est singulier, le verbe « guillotiner » ne peut pas se conjuguer dans tous ses temps. On peut dire :
Je serai guillotiné,
Tu seras guillotiné,
mais on ne peut pas dire :
J'ai été guillotiné.

---

### ANDRÉ DE CHÉNIER
*(1762-1794)*

• André de Chénier monta sur l'échafaud et se toucha le front en disant :
« Et pourtant, j'avais quelque chose là ! »

---

### HONORÉ de BALZAC
*(1799-1850)*

• Un magistrat d'Issoudun :
« Mon pauvre Pierre, ton affaire est claire, tu auras le cou coupé. Que cela te serve de leçon. »

---

### VICTOR HUGO
*(1802-1885)*

• La guillotine a rendu service à Louis XVI, ce bon gros roi bête... Sans le 21 janvier, l'histoire n'aurait vu que son ventre, et elle ne voit que sa tête.

## GUSTAVE FLAUBERT

*(1821-1880)*

• Échafaud :
S'arranger quand on y monte pour prononcer quelques mots éloquents avant de mourir.

## AMBROSE GWINNETT BIERCE

*(1842-1914)*

• Guillotine : machine qui, à juste titre, fait hausser les épaules à un Français.

## LUCIEN GUITRY

*(1860-1925)*

• Le bourreau Deibler avait de la sympathie pour Lucien Guitry qui déclara :
« C'est normal, ma tête lui revient. »

## JULES RENARD

*(1864-1910)*

• Au moment où le condamné a la tête sous la guillotine, il devrait y avoir un silence avant que le couteau tombe. Un garde républicain sortirait des rangs et remettrait une lettre au bourreau et celui-ci dirait au condamné : « C'est ta grâce ! » Et il ferait tomber le couteau. Ainsi le condamné mourrait dans la joie.

## JEAN GIRAUDOUX

*(1882-1944)*

• « Qu'est-ce que l'ordonnance de janvier 1847 ?
— C'est l'ordonnance Dunoyer de Segonzac par laquelle il est rappelé aux condamnés à mort qu'une exécution est un événement sérieux.
— Et interdit de rire ou de plaisanter sur l'estrade pour provoquer la gaîté dans le public. »

## PIERRE DAC

*(1893-1975)*

• À vendre, couperet guillotine, rigoureusement stérilisé afin d'éviter toute infection.

---

## JACQUES PRÉVERT

*(1900-1977)*

• Thèse, antithèse et prothèse : il faut recapiter Louis XVI.

---

## HENRI JEANSON

*(1900-1970)*

• La révolution, la révolution, c'est toujours la même chose, on a choisi de couper la tête à un roi qui n'en avait pas.

---

## NOCTUEL

*(né en 1923)*

• Plaider l'irresponsabilité en cour d'assises, c'est tenter de convaincre un jury de ne pas envoyer un criminel à la guillotine parce qu'il n'a pas toute sa tête.

---

## LIONEL CHRZANOWSKI

*(né en 1958)*

• Sur l'échafaud, ce bourreau avait en plus la voix tranchante.

---

## ÉMILE PONTICH

*(XXe siècle)*

• On a vu des hommes monter sur l'échafaud, n'ayant que ce moyen pour s'élever au-dessus des autres.

---

## FERNAND TRIGNOL

*(xxe siècle)*

• Mon père disait que je mourrais un jour sur l'échafaud. Maman protestait pour la forme :
« Ne voyons pas tout en noir, il sera peut-être gracié. »

---

## DIVERS BONS MOTS ET HISTOIRES SUR LA GUILLOTINE

• Au XVIIIe siècle, on prétendait que si le couperet de la guillotine ne décapitait pas la tête du condamné à mort, c'était tout simplement parce qu'il n'était pas « coupable »...

• Sur un poète guillotiné :
« Ah ! lui, il a toujours eu la tête ailleurs. »

• Le condamné à mort arrive près de l'échafaud et le curé lui demande : « Dieu existe-t-il ?
— Monsieur le curé, répondit-il, vous n'êtes pas sérieux. Je vais mourir et vous me posez des devinettes ! »

• Dernière volonté d'un condamné à mort :
« Je voudrais apprendre l'anglais. »

• Le métier de bourreau sous la Révolution n'était pas rentable. Il avait beau couper des têtes à tour de bras, il n'arrivait toujours pas à joindre les deux bouts.

• Article du *Code d'instruction criminelle* :
« Un accusé, condamné à mort par un premier arrêt, doit être condamné une seconde fois à mort lorsque, sur une seconde poursuite, il est reconnu coupable d'un crime antérieur à la première condamnation et

passible de la peine de mort; mais la confusion des peines doit être ordonnée. »
*(Cité par Jean-Paul Lacroix dans* S. comme sottise.)

• Quittant sa cellule, il se retourne :
« J'ai rien oublié ? »

• Sur l'échafaud :
« Avez-vous quelque chose à déclarer ?
— Non, pas pour l'instant. »

• « Je suis innocent. Ma tête à couper si je mens ! »

• Le condamné inquiet :
« Pas trop dur, le bourreau ? »
On lui répondit :
« Ça dépend, il a ses têtes ! »

---

## LA PENDAISON

### JONATHAN SWIFT

*(1667-1745)*

• Après avoir erré longtemps dans la brousse, il atteint un village où se dresse une potence : « Dieu soit loué, me voilà en pays civilisé. »

---

### HENRI HEINE

*(1797-1856)*

• Il faut pardonner à ses ennemis mais pas avant de les avoir vus pendus.

---

## TIBOR DERY

*(1894-1977)*

• Dans certains pays, on répugne à la pendaison, parce que le pendu tire la langue.

---

## FRANÇOIS CAVANNA

*(né en 1923)*

• Les nègres ont un larynx très fragile. C'est pourquoi ils meurent quand on les pend.

---

## JACQUES CANUT

*(né en 1930)*

• Le pendu avait les habits usés jusqu'à la corde.

---

## MAX PROST

*(né en 1945)*

• Le dernier vœu d'un condamné à mort :
« Mourir de mort naturelle. »

---

## ANONYME

• Le curé à un homme qui allait être pendu :
« Va et repends-toi. »

PENDU A UN NOYER

# Mots croisés
# et proverbes tout de noir vêtus

## MOTS CROISÉS

QUELQUES DÉFINITIONS...

- Âme : On râle souvent d'être obligé de la rendre et son départ nous laisse pourtant froid.

*Jean Delacour*

- Anthropophages : Rares hommes capables de trouver du goût à leurs congénères.

*Noctuel*

- Anthropophage : Croque-mort.

*Yak Rivais*

- Anthropophagie : Passion dévorante.

*Jean Delacour*

- Arsenic : Arme adroite pour faire passer l'arme à gauche.

*M. Villemin*

- Autopsie : Elle permet aux autres de découvrir ce qu'on n'a jamais pu voir en soi-même.

*Maurice Ferrand*

- Bière : Variété de sapin.

*René David*

- Cadavre : On peut certes le mettre en boîte sans risquer de le vexer.

*Jean Delacour*

- Cercueil : Caisse de retraite.

*anonyme*

- Cercueil : Paletot de sapin.

*Jean de la Rue*

- Cercueil : Bagage accompagné.

*Yak Rivais*

- Cimetière : Musée de menhirs.

*Jules Renard*

- Cimetière : Chemin de croix.

*Emmanuel Pillet*

- Cimetière : Réserve de bières.

*Guy Hachette*

• Cimetière : La der des terres.

*Serge Mirjean*

• Cobaye : Animal d'essais qui ne tarde pas à devenir un animal décès.

*Serge Mirjean*

• Coma : La mort comme si vous y étiez.

*Serge Mirjean*

• Corbillard : On ne sait jamais où situer la place du mort.

*anonyme*

• Crématorium : Il n'y a pas de fumée sans « feu ».

*Philippe Jeannin*

• Dauphin : Mammifère cétacé delphinidé qui attend la mort de son père pour monter sur le trône.

*Noctuel*

• Décapitation : Mise au panier.

*Robert Lespagnol*

• Décapité : Ancien entêté.

*A. Vely*

• Décapité : Tué sur le cou.

*anonyme*

• Échafaud : Tribune où l'orateur perd la tête.

*Daniel Darc*

• Enterrement : La dernière levée.

*Roger La Ferté*

• Étouffement : On peut risquer d'en mourir faute de pouvoir expirer.

*Pierre Dewever*

• Éventration : Tripes-tease.

*G. Andreu*

- Extrême-onction : Jeter de l'huile sur le feu.

*anonyme*

- Fossoyeur : Couvre-feu.

*anonyme*

- Gâteux : Il a les défauts de l'enfance sans en avoir les agréments.

*Max Favalelli*

- Gâtisme : Le crépuscule des vieux.

*André Prévot*

- Grâce (coup de) : Balle de charité.

*Serge Mirjean*

- Guillotine : Petite lucarne donnant sur l'éternité.

*Adrien Decourcelle*

- Guillotine : Coupe-gorge.

*anonyme*

- Guillotine : La dernière coupe.

*D. Bonnaud*

- Héritage : Les marrons du feu.

*Serge Mirjean*

- Inhumer : Jeter un froid.

*Claude Robert*

- Médecin : Celui qui vit des maladies de ceux qui en meurent.

*(Dictionnaire de l'Académie de l'humour français)*

- Momie : Sujet d'emballement.

*Michel Laclos*

- Morgue : Boîte aux dégelés.

*Jean de la Rue*

- Mort : Échéance de fin de moi.

*anonyme*

- Mise en bière : Une mise en boîte dont on ne se relève pas.

*Serge Mirjean*

- Naissance : Péché de jeunesse dont la vie constitue la pénitence.

*Noctuel*

- Nécrophage : Animal qui prend volontiers le mort aux dents.

*Noctuel*

- Notaire : Intervient au dernier acte.

*Tristan Bernard*

- Pendaison : Collet monté.

*anonyme*

- Potence : Instrument à corde.

*Edmond Le Berquier*

- Potence : Soutien-gorge.

*anonyme*

• Râler : Une façon de propager des bruits de dernière heure.

*Marc Elber*

• Résurrection : Arrêt de mort.

*Maurice Ferrand*

• Ressusciter : Ranimer le feu.

*Georges Dussaussois*

• Rides : Offensive sur le front présageant la retraite.

*C. Garraud*

• Rigidité : Ce qui prouve que l'on est mort ou que l'on est en vie avec envie.

*Robert Scipion*

• Santé : Un état précaire qui ne présage rien de bon.

*Jules Romains*

• Spirite : Tourneur sur bois.

*A. Galopin*

• Squelette : Compagnie des os.

*anonyme*

- Tambour : Instrument dont on se sert pour battre un âne à titre posthume.

*Noctuel*

- Trépasser : Passer outre.

*Roger La Ferté*

- Urne funéraire : Pot-au-feu.

*anonyme*

- Urne funéraire : Pot de chagrin.

*Serge Mirjean*

- Unijambiste : C'est un individu qui a déjà un pied dans la tombe.

*Serge Mirjean*

- Ver : Croque-mort.

*Jean Delacour*

- Veuve : Femme difficile à abuser car elle en connaît déjà un bout.

*Serge Mirjean*

- Vie : Sa perte nous laisse finalement froid.

*René David*

- Vie : C'est l'espace de temps que l'on met à parcourir en partant d'un trou pour entrer dans un autre.

*Serge Mirjean*

- Vie : Elle commence avec du lait et finit avec une bière.

*Marc Elber*

- Yeux : Il leur arrive d'être fermés pour cause de décès.

*René David*

---

## PROVERBES

- Le malade prend l'avis du médecin.
Le médecin prend la vie du malade.

- Quand vous allez pour vous noyer, ôtez d'abord vos vêtements, ils pourront servir au second mari de votre femme.

- Il vaut mieux partir la tête basse que les pieds devant.

- Un bail qui expire
C'est souvent la mort du petit commerce.

- En se remariant, les veuves se consolent, les veufs se vengent.

- La mort est un ennemi supérieur en ombres.

- La mort est un rendez-vous avec soi : il faut être exact au moins une fois.

- Partir les pieds devant dégage l'esprit.

- Après l'inspiration, le poète expire.

• Il vaut mieux
Être le deuxième mari
D'une veuve que le premier.

• Il existe deux façons de mourir : en songeant à ceux que l'on quitte, en songeant à ceux que l'on rejoint.

• Une femme donne à son mari deux jours de bonheur : celui où il l'épouse et celui où il l'enterre.

• Du berceau au cercueil, il n'y a qu'un mètre d'écart.

• Quand on est mort, c'est pour longtemps ; quand on est bête, c'est pour la vie.

# Les cata... combles

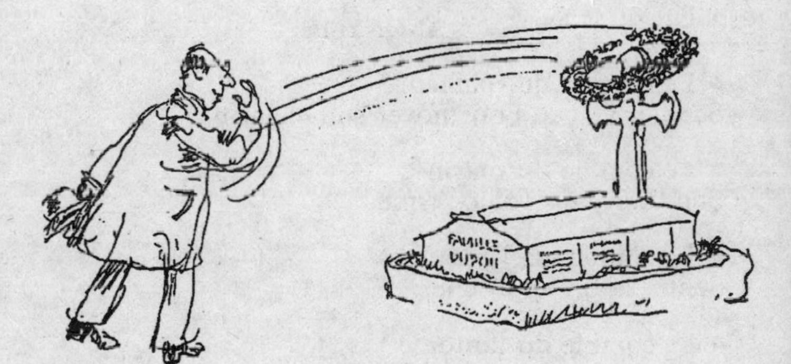

## LES COMBLES

---

### ALPHONSE ALLAIS

*(1855-1905)*

• Le comble de l'obséquiosité ?
Enterrer les balles mortes.

• Le comble du cynisme ?
Assassiner la nuit un boutiquier et déposer sur la devanture un écriteau : « Fermé pour cause de décès » !

---

### JEAN DELUCA

*(XXe siècle)*

• Le comble du pyromane ?
Brûler la vie par les deux bouts et se faire incinérer.

---

### ANONYME

• Le comble du malheur ?
Se jeter à l'eau pour noyer son chagrin.

• Le comble du marin ?
Sombrer dans l'alcoolisme.

• Le comble de l'odorat ?
Sentir sa fin approcher.

• Le comble du fantôme ?
Décliner de jour en jour et n'être plus que l'ombre de soi-même.

• Le comble du poète ?
Se faire dévorer par ses vers.

• Le comble de l'ivrogne ?
Se faire incinérer pour s'offrir une dernière cuite.

• Le comble du pilote kamikaze ?
Réclamer une prime de risque.

• Le comble de l'aveugle ?
Ne pas se voir mourir.

• Le comble du menuisier ?
Faire un cercueil avec du bois mort.

• Le comble du croque-mort ?
C'est de manger les restes.

• Le comble de l'assureur ?
Se voir réclamer le capital-décès d'un assuré contre l'incendie par une veuve dont l'époux vient d'être incinéré.

• Le comble du Polonais ?
C'est de se faire naturaliser Russe à la veille de mourir en déclarant que cela fera toujours un Russe de moins.

• Le comble du Corse ?
Mettre les cendres du défunt dans un sablier pour le voir enfin travailler.

• Le comble du fossoyeur ?
C'est de se creuser la tête.

• Le comble du crémier ?
Mourir pour du beurre.

• Le comble de l'haltérophile ?
Être un poids mort.

• Le comble de l'avare ?
Offrir son corps à la science pour éviter les frais d'enterrement.

- Le comble du restaurateur ?
Avoir la dalle en pente.

- Le comble du pompiste ?
Être enterré en grande pompe.

# Cortège funèbre d'histoires et de natures mortes

## L'HUMOUR NOIR DANS LA PRESSE

• « Les légendes illustrant notre article sur les champignons vénéneux ont été malencontreusement inversées. Nos lecteurs auront rectifié d'eux-mêmes. »

*(Courrier de l'Ouest)*

• Après l'autopsie du cadavre de Jean Z..., on reste un peu sur sa faim.

*(France-Soir)*

• Le rapport de gendarmerie révèle que Alain P... se serait suicidé lui-même.

*(Nord-Éclair)*

• Le grand inventeur Louis Lumière s'est éteint.

*(L'Aurore)*

• L'assassin était né dans un village de Meurtre-et-Moselle.

*(Dernières Nouvelles d'Alsace)*

• Le chasseur humilié ne voulait pas rentrer bredouille, il se tue.

*(Dauphiné Libéré)*

• Un grave accident d'avion aurait fait 120 tués dont 40 grièvement.

*(Berry républicain)*

• Le mystère de la femme coupée en morceaux reste entier.

*(Est-Éclair)*

• « Le cadavre d'un inconnu dépourvu de tête, de tronc, de bras et de jambes a été repêché hier dans le Rhône. »

*(Le Provençal)*

• Ce n'est pas Mme X. Marie qui est morte, mais sa mère. Tout est bien qui finit bien...

*(La République du Centre)*

• Il s'est brûlé la cervelle en se tirant une balle en plein cœur.

*(Nord-Éclair)*

• Dans la rubrique « Guide pratique », « Ce que vous devez faire en cas de décès » :
Placez une glace devant la bouche; et s'il y a de la buée, c'est que le mort est vivant...

*(Télégramme de Brest)*

• Elle fut peu après transportée chez des parents où elle devait succomber des suites de ses blessures. Nous espérons que ce pénible accident n'aura pas de suites plus graves.

*(Basque-Éclair)*

• En cette pénible circonstance, nous présentons à sa femme, ainsi qu'à sa jeune veuve, nos condoléances attristées.

*(Dépêche du Midi)*

• En raison du couvre-feu, trois personnes ont péri carbonisées dans l'incendie.

*(France-Soir)*

• Jeudi ont eu lieu les obsèques de Madame Élise Mallet, veuve Vigne, décédée à Alles-sur-Dordogne, dans sa 76e année. Nous prenons part à sa douleur et lui présentons nos sincères condoléances.

*(Sud-Ouest)*

• Quand Honoré Gall s'est-il suicidé ? S'est-il donné la mort avant de se jeter à l'eau ?

*(Le Progrès)*

• Dans un ménage heureux, la femme vit-elle plus longtemps que le mari ?
Oui, dans 70 % des cas, la femme heureuse enterre son mari.

*(Sud-Ouest)*

• On annonce à un chimiste le suicide d'un de ses amis qui s'est jeté à l'eau.
— Ce n'est pas une solution, répond sévèrement le chimiste.
— Comment ?
— L'homme n'est pas soluble dans l'eau.

*(Les Annales politiques et littéraires, 1898)*

• La femme coupée en morceaux menait une vie double.

*(Berry républicain)*

• Un médecin parisien se noie au cours de son dernier bain.

*(Le Méridional)*

• Veuf désire correspondre avec dame de 60 à 68 ans en vue mariage et pouvant traire une vache.

*(Écho républicain de la Beauce et du Perche)*

• Retrouvée le crâne défoncé à coups de marteau par des passants, la victime n'a pu donner des explications sur l'odieuse agression.

*(Le Journal de Tunis)*

• Les hommes-grenouilles plongeaient et ramenaient un lambeau de pantalon. Quelques instants après, la benne déposait, sur la grille du scraper, une masse de chair informe de laquelle un os émergeait. L'heure du déjeuner interrompit les recherches.

*(L'Union)*

• Il meurt en abattant un arbre.

*(Le Républicain lorrain)*

• Le coiffeur frise la mort à Brias.

*(La Voix du Nord)*

• Un détenu à perpétuité pour meurtre attaque le directeur du pénitencier : il fera une année de plus.

*(Tribune de Genève)*

• Très gravement brûlée, elle s'est éteinte pendant son transport à l'hôpital.

*(Dauphiné Actualité)*

---

## ROBERT LASSUS

*(né en 1930)*

*Extraits de ses différents ouvrages relevant des « perles noires » parues dans la presse ou entendues à la radio.*

• Le cardinal de Richelieu mourut en 1642, vers la fin de sa vie.

• Le général Salan, mort hier, sera inhumé à Vichy, a-t-on appris de bonne source.

• Les corps des trois courageux sapeurs-pompiers morts brûlés vifs sont exposés dans une chapelle ardente.

• Image cruelle de cette libération des camps de la mort : les survivants affamés accueillaient leurs libérateurs par des applaudissements nourris.

• Il avait eu la chance d'être veuf à plusieurs reprises.

• Une voiture folle percute le mur d'un asile psychiatrique : trois morts.

• On devine la joie de ces vieux patriotes quand le maire du village, ému mais fier, vint leur annoncer que leur fils de vingt ans venait de mourir en héros à Verdun.

• Prostré dans les locaux de la police judiciaire, l'homme qui a tué puis décapité son épouse ne cesse de répéter avec des sanglots dans la voix qu'il a perdu la tête.

• L'accident s'est produit sur la route nationale 43. De la voiture réduite en bouillie par le semi-remorque, on retira le corps d'une jeune femme que les gendarmes identifièrent grâce à la médaille porte-bonheur qu'elle portait autour du cou, médaille à l'effigie de saint Christophe, patron des automobilistes.

# Discours et paroles funèbres pour orateurs tout feu éteint

• Le discours du maire...
« Nos vieillards meurent de froid à petit feu. »

• Le journaliste qui commente...
« Le Président de la République s'est dirigé vers la dalle sous laquelle repose le Soldat inconnu, cet illustre militaire dont le nom est définitivement passé à la postérité. »

*(cité par Jean-Paul Lacroix dans* S comme Sottise*)*

• Un magistrat de la Belle Époque, le président Lebus, avait souvent des mots malheureux. Il lui arriva de déclarer à un accusé : « Que vous l'ayez violée, c'est bien; que vous l'ayez étranglée, parfait. Mais pourquoi diable l'avez-vous coupée en morceaux? »

• Le rapport de police relevé par Maître Victor Clément, bâtonnier, est explicite : « Les antécédents du prévenu sont déplorables, on l'accuse, avant les faits actuels, d'avoir assassiné plusieurs personnes qui n'ont pas porté plainte par peur des représailles. »

• Le juge expliquait à l'assassin le sens du mot « récidive » :
« Si vous tuez encore votre père, ce sera la peine de mort; voilà ce que c'est que la récidive. »

• Rendons hommage à Jeanne d'Arc, à l'endroit même où elle s'est éteinte...

• Lors d'une incinération, un officiel lisait un discours :
« Toi, déclare-t-il, notre fidèle ami, toi, notre compagnon de toujours, toi, le vieux dur à cuire... »

## HUMOUR MACABRE

**Exercice de gens qui ont toujours le mort pour rire**

*Noctuel*

• Le colonel rendant hommage dans un cimetière militaire :
« C'est bien la première fois que j'ai réussi à les faire aligner ! »

• Le médecin :
« Vous êtes solide comme un roc, croyez-moi, vous enterrerez votre femme, vos enfants et tous vos amis. »
Le malade :
« Vous dites ça pour me faire plaisir ? »

• Le médecin poète :
« Docteur, vous faites des vers !
— Pour tuer le temps, chère madame.
— Vous n'avez donc plus de clients ? »

• À son épouse : « Quand l'un de nous deux mourra, j'irai habiter à la campagne ! »

• En recevant un faire-part de décès :
« Ah ! enfin, il s'est décidé à nous donner signe de vie... »

• Un général, toisant un pillard arrêté pour vol :
« Fusillez-le, ça lui apprendra à vivre ! »

• Devant le cadavre d'un Noir tué par plusieurs dizaines de balles, un shérif, aux États-Unis, déclare :
« Quel affreux suicide ! »

• Sous Napoléon Ier, après les batailles, un groupe de soldats était chargé spécialement d'enterrer les morts. Un jour, un officier s'approcha d'un des « fossoyeurs » en lui disant :

« Faites attention ! Le soldat que vous venez de jeter dans la fosse respirait encore ! »
Le « fossoyeur » répliqua :
« On voit bien que vous n'avez pas l'habitude, car, si on les écoutait, il n'y en aurait jamais un de mort ! »

- En Écosse :
« Votre père est au plus mal, il faut vous attendre à tout, déclare le pasteur.
— N'exagérons rien, je serais obligé, hélas, de partager avec mes frères et sœurs ! »

- Je suis heureuse que mon mari ne soit plus là, la douleur que me cause sa mort lui serait insupportable.

- Arrivant au chevet d'un malade :
« Ah ! j'ai eu peur d'arriver trop tard... »

• L'employé des pompes funèbres offrait un verre au veuf pour lui remonter le moral et il lui dit :
« Encore une petite larme ! »

• Si je connaissais un lieu où l'on ne mourait pas, j'irais y finir mes jours.

• Apprenant qu'un de ses amis s'est suicidé à cause d'une déception amoureuse, il déclare :
« Moi, me tuer pour une femme, jamais ! Plutôt mourir ! »

• Le malade :
« Pensez-vous que je survivrai à cette opération ? »
Le chirurgien :
« Oui, mais en toute franchise, je ne vous le conseille pas. »

• Lors du procès, la femme qui avait assassiné son mari déclara :
« C'est un drame de l'euthanasie, car mon mari souffrait trop avec moi depuis que nous étions mariés ! »

• Une entreprise de pompes funèbres, qui s'insurgeait contre le monopole, le racket et les prix abusifs pratiqués par certains membres de cette profession, avait fait distribuer un tract qui commençait ainsi :
« À l'heure où les familles sont contraintes de réduire leur niveau de vie... »

• Lors de l'autopsie d'un homme mort d'une indigestion d'huîtres, on découvrit dans son estomac une perle. « Quelle chance ! déclara alors la veuve, on va pouvoir payer ses obsèques... »

• Le fossoyeur qui préparait la tombe en piochant d'une main et en mangeant de l'autre, déclara :
« Ça creuse, de faire des trous. »

• « Est-ce le crâne de Diderot ? demande un importun à un gardien de musée.

— Oui, répond l'homme. Il y a même un certificat d'authenticité.
— Et de qui est ce petit crâne ?
— C'est celui de Diderot enfant. »

• Dialogue dans un cimetière.
Deux femmes, au visage recouvert d'un voile noir, se croisent.
L'une d'elles s'adressant à l'autre :
« Vous êtes veuve aussi ?
— Non, moi je suis laide. »

• « Vous habitez toujours en face du cimetière ?
— Oui. Je n'ai pas encore déménagé en face. »

• Deux médecins discourent de la maladie qui tient cloué sur son lit un patient.
Peu à peu la discussion s'envenime.
« Je vous affirme que c'est la fièvre typhoïde.
— Jamais de la vie !
— Jamais ? On verra à l'autopsie ! »

• Dialogue :
« Et comment va notre malade ? demanda le médecin.
— Vous savez, répondit l'infirmier, il n'est plus à prendre qu'avec un cercueil. »

• Les revolvers de théâtre s'enrayent souvent. L'un d'eux, qui devait abattre une épouse volage, ayant failli à sa mission, l'actrice se jeta à terre, en criant : « Je meurs quand même, tuée par le remords ! »

*(Cité par Jean-Paul Lacroix)*

• À l'enterrement d'une femme son mari et son amant sont côte à côte. L'amant pleure si fort que le mari lui dit : « Ne vous en faites pas, je me remarierai ! »

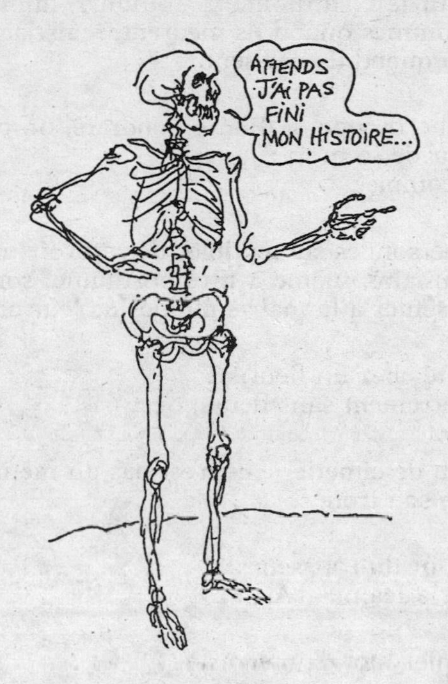


## ANECDOTES ET DIVERS

- Le prix des concessions au cimetière est indexé sur le coût de la vie...

- De nombreuses associations sont souvent inutiles comme cette dernière : ACM (Association Contre la Mort).

- Henry Hathaway avait été engagé pour tourner un super western. Il réclama d'emblée dix mille figurants. Le producteur s'écria : « Comment voulez-vous qu'on les paie ? »
Hathaway répondit simplement :
« Nous tournons le dernier jour la scène de la bataille et nous chargeons les fusils avec des balles réelles. »

• Les journaux annoncent toujours la mort des grands hommes quand ils meurent, mais jamais leur naissance quand ils naissent.

• Dans l'horoscope de Blaise Cendrars, on pouvait y lire le jour de sa mort :
« Repos complet. »

• « Les personnes susceptibles de recevoir une décoration militaire, même à titre posthume, sont priées de se présenter à la mairie munies de leur citation. »

• Publicité chez un fleuriste :
« Un enterrement sans fleurs, c'est triste. »

• Gardien de cimetière, ce n'est pas un métier où on peut faire son trou.

• L'humour du rôtisseur :
« Rôtisserie Jeanne-d'Arc ».

• Le dernier mot d'un égoïste :
« À moi ! »

---

DÉFINITIONS RELEVÉES SUR DES COPIES D'ÉLÈVES

• Les livres posthumes sont des livres qu'on écrit après sa mort.

• Le futur de « Je suis vivant » ?
L'élève indiqua : « Je serai mort ! »

• Robespierre provoqua la mort des royalistes par la guillotine et mourut peu après de la même maladie.

• RÉPUBLIQUE FRANÇAISE

...

PRÉFECTURE DE LA SEINE

...

CAISSE D'ASSURANCES
SOCIALES

...

SERVICE DES EXCÉDENTS

...

M...

Vous avez, selon nos listes de contrôle, atteint la limite d'âge prescrite. En conséquence, d'après les statistiques, votre vie ne présente plus aucun avantage pour la société, mais apporte, au contraire, une charge supplémentaire à la Caisse d'Assurances sociales de votre circonscription, ainsi que des désagréments pour votre entourage.

C'est pourquoi vous devez, en vertu de la Loi du 8 février 1983, vous présenter au Crématoire municipal, trois jours après réception de la présente, entre 9 h et 18 h, devant le four n° 2, pour nous permettre de procéder à votre incinération.

Pour éviter tout danger d'explosion, vous ne devez plus absorber d'alcool.

Veuillez prendre avec vous :

— Un sac à votre nom (en majuscules) pour l'envoi des cendres.

Pour éviter toute bousculade, veuillez vous adresser, muni de la présente, à M. Lefourneur, qui vous délivrera un numéro d'ordre. Tout passe-droit sera sévèrement sanctionné. Une demande d'ajournement d'incinération ne pourra être prise en considération que si vous n'avez pas encore payé l'impôt de l'année en cours.

Dans l'attente de votre visite et du plaisir de faire votre connaissance,

Veuillez agréer, M..., nos salutations nécrologiques.

---

RÉFLEXIONS D'ENFANTS

• Pourquoi on enterre les morts puisqu'ils ne repoussent pas ?

• Dans un cimetière, à la lecture de tous les éloges relevés sur les sépultures, l'enfant déclara :
« Et les méchants, on les met où ? »

• C'est où le cimetière des morts ?

• Le cimetière c'est là qu'on vit quand on est mort.

---

MENU DE CIRCONSTANCE

• — Radis noirs
— Olive noire ; pain couronne
— Raie au beurre noir
— Crêpes et petits fours
— Bière, eau-de-vie.

---

PLAISANTERIE VUE DANS UN CIMETIÈRE

• Un écriteau dérobé à la porte d'une concierge était déposé sur une tombe :
« Je reviens de suite. »

---

• Sur une carte de visite
JEAN V.
Directeur d'entreprise générale des pompes funèbres.
Président du Comité de propagande pour le retour à la terre.

• Au columbarium du Père-Lachaise il y a un incinéré qui se nommait Malcuit.

*(Cité par Michel Dansel, historiographe du Père-Lachaise)*

• Au XIX^e^ siècle, plusieurs dizaines de milliers de personnes accompagnèrent à sa dernière demeure le boxeur anglais Tom Sayers, mort à trente-neuf ans. Dans le cimetière, c'était à qui réussirait à s'approcher le plus près de sa tombe. Après une bousculade générale, cela se termina à coups de poing et en quelques instants tout le cimetière fut transformé en ring.

Cela demeure encore aujourd'hui le plus important match de boxe de tous les temps.

• Aux États-Unis, vers 1950, le Comité d'Information des Fleuristes a obtenu d'un grand nombre de journaux que soient supprimés les avis de décès portant la mention : « Ni fleurs, ni couronnes. »

• Mais, par contre...
À l'enterrement du dessinateur Jean-Marc Reiser *(1941-1983)*, on pouvait lire sur une couronne :
« De la part de *Hara-Kiri*, en vente partout. »

• Un arrêté préfectoral :
« Le cimetière est réservé aux morts vivant dans la commune. »

• À la devanture d'une papeterie :
Trousse en cuir pour extrême-onction avec fermeture Éclair.

(Extrait de *La Vérité dépasse la fiction*)

Définition relevée dans le Petit Larousse illustré (page 416) :
« Gaiement ou gaîment : avec gaieté : marcher gaiement à la mort. »

• Le gardien du cimetière portait le nom prometteur de : « Monsieur AUREVOIR ».

*(Le Soir)*

• « Si j'avais su que je vivrais jusqu'à quatre-vingt-dix ans, j'aurais davantage pris soin de ma santé », a déclaré au *Times* l'ancien président anglais de la Fédération internationale de football, sir Stanley Rous.

• Début du testament d'un optimiste :
Si par hasard je meurs un jour, voici mes dernières volontés...

• Le poète anglais Charles Lamb *(1775-1834)* apprit à lire sur les inscriptions des tombes du cimetière côtoyant la demeure de ses parents.

*(Cité par Tristan Maya dans son* Journal d'humeur*)*

• Réplique d'un marchand de tableaux agacé par les peintres :
« À partir de maintenant, je ne veux plus voir entrer dans mon bureau que des artistes morts. »

*(Cité par Jérôme Feugereux)*

• Peu après la fin de la dernière guerre mondiale, on a pu lire dans les journaux la relation d'une mésaventure survenue à une famille française. Celle-ci avait reçu de cousins d'Amérique une boîte de conserve d'un kilo contenant une poudre. Il faut se rappeler qu'à cette époque le rationnement sévissait en France. Croyant à un cadeau alimentaire de parents mieux pourvus, la famille en fit une soupe. Le goût était atroce. Peu de temps après, arrivait une lettre des cousins d'Amérique :
« Obéissant à ses dernières volontés, nous vous adressons par colis séparé les cendres du grand-père. »

• En 1990, les pompes funèbres générales, soucieuses de faciliter l'accès de la clientèle à ses services... avaient mis en place un numéro de téléphone vert.

• La dernière heure :
Sur la façade de l'église de Mareil-en-Champagne, Sarthe, figure au-dessus d'une horloge l'inscription suivante :
« L'une sera ta dernière. »

*(Cité par Martine Courtois dans les* Mots de la mort*)*

• Ha ! que c'est une douce mort
De mourir sans perdre la vie !

*Les Satyres bastardes,* « Gaillardise » *(1615)*

• Guerre 1914-1918 :
« Ah ! tu l'auras, tu l'auras, ta croix. Si ce n'est la croix d'guerre, ce sera la croix d'bois. »

• Une suggestion jamais appliquée dans les journaux :
Mettre à côté des avis de décès le nom du médecin traitant.

• La nuit qu'on la tua,
Rosita eut de la chance :
De trois balles qu'elle reçut,
Une seule était mortelle.

*(Complainte populaire mexicaine « Rosita Alvirez »)*

• Vivre cent ans :
3 155 760 000 secondes = 52 596 000 minutes = 876 600 heures = 36 525 jours = 1 200 mois = 400 saisons = 100 ans = une vie = une mort.

---

## LE FOU RIRE QUI TUE

• L'expression « mourir de rire » est devenue réalité quand un professeur danois de médecine, Ole Bentzen, est décédé d'une crise cardiaque à la suite d'un fou rire dans une salle de cinéma à Copenhague, a rapporté *la Revue hebdomadaire du médecin*.
Le praticien, spécialiste des yeux, avait été pris d'un fou rire en regardant son acteur comique préféré, le Britannique John Cleese, dans le film *Un poisson nommé Wanda*.
Le rire avait provoqué une fibrillation ventriculaire causée par une stimulation extrême. Elle se traduit à l'électrocardiogramme par un tracé d'ondulations se succédant à un rythme compris entre 250 et 500 par minute.

JE M'ABSTIENS LE PLUS POSSIBLE DE RIRE... CAR J'AI TRÈS PEUR D'EN MOURIR

# Bibliographie des livres exhumés

Il eût été fastidieux de reproduire ici la liste de tous les ouvrages consultés (environ 2 000). Nous avons donc renoncé à ce projet avec « regrets ». Nous tenons toutefois à remercier Messieurs Robert Chouard, Émile Gonzales, Charles-Armand Klein et Francis Noël qui nous ont apporté leur collaboration dans certaines de nos recherches.

# INDEX DES AUTEURS ET DES NOMS CITÉS

MOI
QUI AI
TOUJOURS
EU HORREUR
DES PASSAGES
SOUTERRAINS...

## ÉPITAPHES DES AUTEURS

Ici gît, Philippe Héraclès
Homme généreux
Qui fit don
De son corps
Après sa mort
À la terre
Où il repose.

Ci-gît, Lionel Chrzanowski
Qui de son vivant,
Gagna de l'argent
Grâce à la mort.
Moralité : le crime ne paie pas,
Mais la mort rapporte.

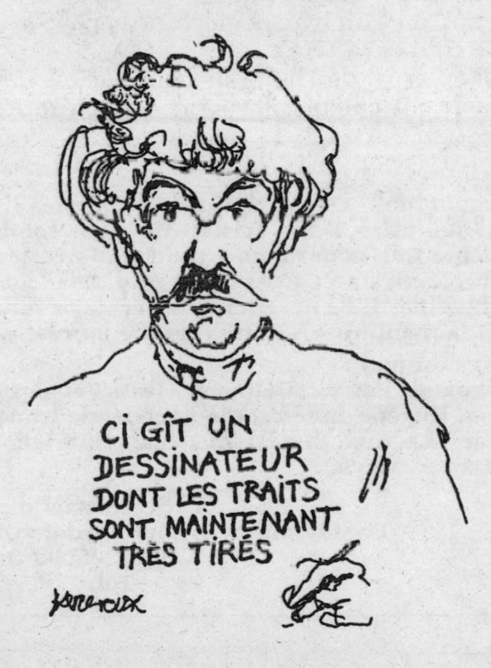

## LE GRAND PRIX
## DE L'HUMOUR NOIR

*CRÉÉ EN 1954*

Le 22 avril 1794, monsieur de Malherbe sort de prison pour rejoindre la charrette devant le mener à la guillotine. Butant sur une pierre, il dit : « Oh, oh, voilà qui s'appelle un mauvais présage. À ma place, un Romain serait rentré. »

Un peu plus tard dans ces périodes troublées, le duc de Chârost est lui aussi mené vers l'échafaud. Ce faisant, il lit un livre et en corne la page avant de se faire couper la tête.

Ainsi en est-il de l'humour noir, parfois involontaire, souvent calculé. La mort est son terrain de prédilection.

**« L'humour noir est la riposte des acculés », cette définition illustre, selon Tristan Maya son fondateur, le principe qui « couronne » chaque année les heureux élus (écrivain et dessinateur) qui se voient offrir le premier mardi de novembre une écharpe funéraire portant la mention « À notre regretté lauréat ».**

**Membres du jury :**
**Noël Arnaud, Patrice Delbourg, Jean Fougère, Yves Frémion, Eugène Ionesco (de l'Académie française), Jean-Paul Lacroix, Jean L'Anselme, Gabrielle Marquet, Tristan Maya.**

**Secrétariat du prix :**
**Tristan Maya, 3, boulevard de Québec**
**45000 Orléans**
**Tél. : 38.54.47.02**

MORT... OÙ EST TA VICTOIRE ?

# Humour

**Une certaine idée du bonheur, grâce à la vertu décapante du rire...**

## A. NONYME

Monsieur et Madame ont un fils
**4036/2**

**M. et Mme Ticoli ont le bonheur de vous annoncer la naissance de leur fils Victor. M. et Mme Marolex ont la joie de vous annoncer la naissance de leur fille Éléonore. M. et Mme Sontraqueteur sont heureux de vous faire part de la naissance de leur fils Igor...**
**Un jeu qui fait fureur - et fou-rire !**

## ARTHUR

Arthur censuré
**3698/5**

**De la radio à la télé, rien n'arrête Arthur. Et maintenant un livre, pour retrouver son humour décapant !**

## BERTRAND JACQUES A.

Tristesse de la Balance...
**2711/1**

## BRAVO CHRISTINE

**Les bêtes, petites ou grosses, sont aussi compliquées que nous et leurs amours sont bien difficiles ! C'est ce que révèle la présentatrice vedette de Frou-Frou. Rigoureusement scientifiques, ces romances animales sont irrésistibles.**

Les petites bêtes
**3104/2**
Les grosses bêtes (un érotisme inattendu)
**3770/3**

## DE BURON NICOLE

Les saintes chéries
**248/3**

**Les mésaventures d'une femme en butte à la fatalité quotidienne, ou comment prendre la vie avec bonne humeur quand rien ne va comme vous l'auriez voulu.**

Vas-y maman
**1031/2**
Dix-jours-de-rêve
**1481/3**
Qui c'est, ce garçon ?
**2043/3**
C'est quoi, ce petit boulot ?
**2880/4**
Où sont mes lunettes ?
**3297/4**

**Une lettre de sa caisse de retraite rappelle brutalement à l'héroïne son âge : cinquante ans. Mais où sont donc passées toutes ces années ?**

Arrêtez de piquer mes sous !
**3652/5**

**Impôts, cotisations, taxes, prélèvements, vignettes, TVA... c'est trop ! Le ras-le-bol d'une contribuable excédée mais d'un humour à toute épreuve.**

## COLUCHE

Coluche Président
**3750/4**

## DUROY LIONEL

Priez pour nous
**3138/4**

## GOURIO JEAN-MARIE

**A l'heure de l'apéritif, dans les 150.000 bistrots de France, on refait le monde, le coude sur le comptoir. On fait et défait les gouvernements, on déclare des guerres, on invente des lois, on fusille ou gracie, on reconstruit des villes, on replante des forêts... On va même jusqu'à avancer la date du beaujolais nouveau !**

Brèves de comptoir - 1
**3978/3**
Brèves de comptoir - 2
**4015/3**

## HAUSER RÉGIS

Les murs se marrent
**3632/4**

## HÉRACLES & CHRZANOROSKI

Le grand livre de l'humour noir
**3994/5 Illustré**

## LAFESSE JEAN-YVES

Petit précis de l'imposture
**3253/4**

## LAGAF'

Eclats de rire
**3537/3**

## LEEB MICHEL

Le meilleur de l'humour français
**3516/3**

## LEFEBVRE JEAN

Pourquoi ça n'arrive qu'à moi ?
**3193/3 Illustré**
Mais qu'est-ce qu'elles me trouvent ?
**3507/3**

# Humour

**PIEM**

Bonne santé mode d'emploi
**3609/1**
Petits enfants grands parents... mode d'emploi
**3834/2**

**ROUCAS JEAN**

Les roucasseries
**3230/4. 3440/4, 3693/4 & 3915/4**
**Un florilège d'histoires drôles, lestes ou même très vilaines, par le monsieur aux lunettes qui vous fait tant rire à la radio et à la télévision.**

**SARRAUTE CLAUDE**

Allô Lolotte, c'est Coco
**2422/1**
Maman coq
**2823/3**

**SIM**

Elle est chouette, ma gueule !
**1696/3**
**Tout le monde n'a pas la chance d'avoir la gueule de Sim.**
Pour l'humour de Dieu
**2001/4**
Elles sont chouettes, mes femmes
**2264/3**
Le Président Balta
**2804/4**
Ma médecine hilarante
**3213/3**
Elle était chouette ma France
**3586/5**
**L'histoire de France revue et corrigée par Sim. Empruntant la plume de notre célèbre humoriste, Clovis, Gilles de Rais, François Ier, Charles de Gaulle et quelques autres nous racontent ce qui s'est vraiment passé.**
Le penseur
**3937/2**
**Drôles ou graves, des maximes qui prouvent, s'il en était besoin, que Sim reste bien le plus chouette de nos humoristes.**

**TALLEYRAND & GARY**

Testez et développez votre stupidité sans peine
**3790/4**

**XENAKIS FRANÇOISE**

Moi j'aime pas la mer
**491/1**
Zut, on a encore oublié madame Freud...
**2045/2**
**Mme Freud, Mme Marx, Adèle Hugo, la femme de Socrate... Il fallait sauver de l'oubli ces femmes qui ont vécu dans l'ombre de leurs célèbres époux.**
Mouche-toi, Cléopâtre...
**2359/3**
La vie exemplaire de Rita Capuchon
**2585/3**
Chéri, tu viens pour la photo
**3040/4**

# Cinéma et TV

**Livre après livre, film après film, J'ai lu édifie l'étonnante bibliothèque du cinéma et de la TV.**

**Les titres sont présentés par ordre alphabétique.**

Abyss
**CARD Orson Scott 2657/4**
L'accompagnatrice
**BERBEROVA Nina 3362/4**
Adieu ma concubine
**LEE Lilian 3633/4**
Alice au pays des merveilles
**CARROLL Lewis 3486/2**
Alien
**FOSTER Alan Dean 1115/3**
AlienS
**FOSTER Alan Dean 2105/4**
Alien 3
**FOSTER Alan Dean 3294/4**
L'ami Maupassant
**de MAUPASSANT Guy 2047/2**
Les amies de ma femme
**ADLER Philippe 2439/3**
Les amitiés particulières
**PEYREFITTE Roger 17/4**
Angie
**WING Avra 3829/3**
L'année de l'éveil
**JULIET Charles 2866/3**
L'autre
**CHEDID Andrée 2730/3**
Backdraft
**MITCHELL Kirk 2996/4**
Beignets de tomates vertes
**FLAGG Fannie 3315/7**
Bel-Ami
**de MAUPASSANT Guy 3366/3**
La belle Romaine
**MORAVIA Alberto 1712/5**
Blade Runner
**DICK Philip K. 1768/3**
Beverly Hills
**GILDEN Mel 3637/4, 3638/4 3716/4, 3860/4 & 3861/4 3958 & 3959 (juillet 95)**
**SMITH K.T. 3717/4**
Bleu comme l'enfer
**DJIAN Philippe 1971/4**
Body
**ARNSTON Harrison 3479/5**
Bonjour la galère !
**ADLER Philippe 1868/1**
La brute
**des CARS Guy 47/3**
Carrie
**KING Stephen 835/3**
Charlemagne ou la jeunesse du monde
**JULLIAN Marcel 3854/3**
Charlie
**KING Stephen 2089/5**
La Chartreuse de Parme
**STENDHAL 2755/5**
Le Château des Oliviers
**HÉBRARD Frédérique 3677/7**
Chiens perdus sans collier
**CESBRON Gilbert 6/2**
Christine
**KING Stephen 1866/4**
La Ciociara
**MORAVIA Alberto 1656/4**
Le club de la chance
**TAN Amy 3589/4**
Les cœurs brûlés
**JAUBERT & SILBERT 3992/4**
Conan le barbare
**HOWARD Robert E. 1449/3 (avec Sprague de Camp)**
Conan le destructeur
**HOWARD Robert E. 1689/2 (avec R.Jordan)**
Le crime de Mathilde
**des CARS Guy 2375/4**
Croc-Blanc
**LONDON Jack 2887/3**
Cujo
**KING Stephen 1590/4**
Cyrano de Bergerac
**ROSTAND Edmond 3137/3**
Dans la ligne de mire
**COLLINS Max Alban 3626/5**
Danse avec les loups
**BLAKE Michael 2958/4**
Délivrance
**DICKEYJames 531/3**
La demoiselle d'Avignon
**HEBRARD Frédérique 2620/4**
Demolition Man
**OSBORNE Richard 3628/4**
Le dernier des Mohicans
**COOPER Fenimore J. 2990/5**
2001-l'odyssée de l'espace
**CLARKE Arthur C. 349/2**
Le diable au corps
**RADIGUET Raymond 2969/1**
Elisa
**FERNANDEZ-RÉCATALA 3980/4**
Entre Ciel et Terre
**SINGER Michaël 3630/4**
L'Espagnol
**CLAVEL Bernard 309/4**
E.T. L'extra-terrestre
**SPIELBERG Steven 1378/3**
E.T. La planète verte
**SPIELBERG Steven 1980/3**
Etat second
**YGLESIAS Rafael 3629/6**
L'été en pente douce
**PELOT Pierre 3249/3**
Farinelli
**CORBIAU Andrée 3955/3**
Des fleurs pour Algernon
**KEYES Daniel 427/3**
Forrest Gump
**Winston Groom 3816/4**
Le Fugitif
**DILLARD J.-M. 3585/4**
Frankenstein
**SHELLEY Mary 3567/3**
Germinal
**ZOLA Emile 901/3**
Geronimo
**CONLEY Robert J. 3714/3**
Le grand chemin
**HUBERT Jean-Loup 3425/3**
L'homme sans visage
**HOLLAND Isabelle 3518/3**
Hook
**BROOKS Terry 3298/4**
Horizons lointains
**MASSIE Sonja 3356/6**
L'impure
**des CARS Guy 173/4**
Isaura
**GUIMARAES Bernardo 2200/2**
J'étais empereur de Chine
**PU-YI 2327/6**
Le jardin secret
**BURNETT F. H.3655/4**
JF partagerait appartement
**LUTZ John 3335/4**

# Cinéma et TV

JFK
**GARRISON Jim 3267/5 Inédit**
Jonathan Livingston le goéland
**BACH Richard 1562/1 Illustré**
Le Journal
**GRAM Dewey 3822/5**
Joy
**LAUREY Joy 1467/2**
Joy (Le retour de)
**LAUREY Joy 3388/3**
Junior
**FLEISCHER Leonore 3876/3**
Kramer contre Kramer
**CORMAN Avery 1044/3**
King of the hill
**HOTCHNER A.E. 3582/4**
La lectrice
**JEAN Raymond 2510/1**
La liste de Schindler
**KENEALLY Thomas 2316/6**
Little Big Man
**BERGER Thomas 3281/4**
Love story
**SEGAL Erich 412/1**
La machine
**BELLETTO René 3080/6**
Madame Bovary
**FLAUBERT Gustave 103/3**
Le Magicien d'Oz
**BAUM Frank 1652/1**
Maman j'ai encore raté l'avion
**SINGER A. L. 3387/2**
Le mari de l'Ambassadeur
**HEBRARD Frédérique 3099/6**
Melrose Place
Faut pas flipper
**JAMES Dean 3882/4**
Max Glick
**TORGOV Morley 3855/3**
Michigan Mélodie (Un mariage à la carte)
**MONSIGNY Jacqueline 1289/2**
1492
La conquête du paradis
**THURSTON Robert 3403/3**
Milliardaire malgré lui
**SUNSHINE Linda 3831/4**

Misery
**KING Stephen 3112/6**
Moi, Antoine de Tounens, roi de Patagonie
**RASPAIL Jean 2595/4**
9 semaines 1/2
**McNEILL Elizabeth 2259/2**
Les nuits fauves
**COLLARD Cyril 2993/3**
Les oiseaux se cachent pour mourir
**McCULLOUGH Colleen 1021/4 & 1022/4**
Oliver's story
**SEGAL Erich 1059/2**
Orphée
**COCTEAU Jean 2172/1**
Le palanquin des larmes
**CHOW CHING LIE 859/4**
Pavillons lointains
**KAYE M.M. 1307/4 & 1308/4**
Peter Pan
**BARRIE James M. 3174/2**
Peur Bleue
**KING Stephen 1999/3**
Présumé innocent
**TUROW Scott 2787/7**
Priez pour nous
**DUROY Lionel 3138/4**
Le Prince des marées
**CONROY Pat 2641/5 & 2642/5**
Pulsions
**DePALMA Brian 1198/3**
Les quatre filles du Dr March
**ALCOTT Louisa M. 3877/3**
La reine Margot
**DUMAS Alexandre 3279/3**
Rends la monnaie, papa !
**FAUCHER Elizabeth 3746/3**
Richard au pays des livres magiques
**STRASSER Todd 3875/4**
Robocop
**NAHA Ed 2310/3**
Le rouge et le noir
**STENDHAL 1927/4**
Running Man
**KING Stephen 2694/3**
Sauvez Willy
**HOROWITZ Jordan 3627/4**

La servante écarlate
**ATWOOD Margaret 2781/5**
Shining
**KING Stephen 1197/5**
Simetierre
**KING Stephen 2266/6**
Le sixième jour
**CHEDID Andrée 2529/3**
Stargate
**DEVLIN Dean 3870/6**
Star Trek
**RODDENBERRY Gene 1071/3**
Le temps de l'innocence
**WHARTON Edith 3393/5**
La tête en l'air
**AGACINSKI Sophie 3046/5**
The Player
**TOLKEN Michael 3483/3**
The Shadow
**LUCENO James 3830/4**
Tous les fleuves vont à la mer
**PLAIN Belva 1470/5 & 1480/5**
37°2 le matin
**DJIAN Philippe 1951/4**
Les Trois Mousquetaires
**DUMAS Alexandre 3461/7**
Un mari, c'est un mari
**HEBRARD Frédérique 823/2**
La vengeance aux deux visages
**MILES Rosalind 2723/6 & 2724/6**
Un Indien dans la ville
**Le NABOUR Eric 3979/3**
Une équipe hors du commun
**GILBERT Sarah 3355/3**
Une nounou pas comme les autres
**COUCHAN Catherine 4014/3**
Une vie
**de MAUPASSANT Guy 1952/2**
Vingt mille lieues sous les mers
**VERNE Jules 3654/5**
Le voyage du père
**CLAVEL Bernard 300/1**
Le voyage fantastique
**ASIMOV Isaac 1635/3**

André Franquin est l'un des trois grands de la BD d'humour franco-belge avec Hergé et Morris. Avec Spirou, puis Gaston, Franquin a réussi à faire rire des publics de tous les âges.

**Il y a toujours des bulles dans le cocktail J'ai lu BD.**
**En octobre 1986, J'ai lu fait la révolution en lançant une collection de BD au format de poche. Succès sans précédent ! Chaque année, au festival d'Angoulême, les fans s'arrachent les petits volumes où sont maintenant tous les grands de la BD.**
**Dans la collection J'ai lu BD, pas de réduction des images : les dessins sont remontés un à un, pour le plaisir de l'amateur. Et la qualité du papier permet une reproduction fidèle des couleurs de l'édition originale.**
**J'ai lu BD réduit les prix, pas les images.**

Idées noires
**BD1/3**

## Gaston Lagaffe

**Couleur**

**Les plus fameuses gaffes jamais commises.**

1 - Gala de gaffes
**BD17/3**
2 - Gaffes à gogo
**BD39/3**
3 - Le bureau des gaffes
**BD70/3**
4 - Gaffes en gros
**BD100/3**
5 - Gare aux gaffes
**BD126/3**
6 - Gaffes d'un gars gonflé
**BD152/3**
7 - En direct du passé de Lagaffe
**BD173/3**
8 - De gaffes en Lagaffe
**BD190/3**
9 - Lagaffe fait des dégâts
**BD208/3**
10 - Lagaffe, gaffeur
**BD221/3**
11 - Lagaffe, sachant gaffer
**BD229/3**
12 - Gâté, Lagaffe
**BD240/3**
13 - De gaffes en pire
**BD250/3**
14 - Le gars Lagaffe
**BD260/3**
15 - Gaffes géantes
**BD269/3**
16 - Méga gaffes
**BD275/3**
17 - Gaffes et bévues
**BD281/3**

## Spirou

**Couleur**

- Le nid des Marsupilamis
**BD186/5**
- Les voleurs du Marsupilami
**BD200/6**
- Il y a un sorcier à Champignac
**BD215/6**
- Le voyageur du Mésozoïque
**BD223/6**
- Le gorille a bonne mine
**BD245/5**
- Le repaire de la Murène
**BD256/5**
- Virus
**BD270/4 (par Tome & Janry)**
- Qui arrêtera Cyanure ?
**BD273/4 (par Tome & Janry)**
- Aventure en Australie
**BD278/4 (par Tome & Janry)**

# HUMOUR

**AUTHEMAN**
Qu'est-ce qu'elles ont les filles ?
**BD258/4**

**BAKER**
Comment vivre avec un chat névrotique
**BD246/3**
Comment vivre avec un maître névrotique
**BD271/3**

**BINET**
*Les Bidochon*
**BD4/3, BD48/3, BD104/3, BD121/3, BD150/3, BD183/3, BD205/3, BD231/3, BD262/3, BD272/3 et BD279/3**
Les Bidochon se donnent en spectacle *(la pièce)*
**BD189/4**
*Kador*
**BD88/3 ,BD192/3 et BD224/3**
Forum
**BD237/3**
Propos irresponsables - 1
**BD248/3**
Monsieur le Ministre - 1
**BD287/3**

**CABU**
Les nouveaux beaufs sont arrivés !
**BD268/4**

**COYOTE**
Litteul Kévin
**BD276/3**

**DEBARRE**
Joe Bar Team
**BD274/3 et BD284/3**

**EDIKA**
Débiloff profondikoum
**BD38/3**
Yeah !
**BD188/3**
Absurdomanies
**BD216/3**
Désirs exacerbés
**BD232/3**
Happy ends
**BD251/3**
Tshaw !
**BD266/3**
Knock out !
**BD282/3**

**GELUCK**
Le chat *(1, 2, 3)*
**BD142/3, BD230/3, BD253/3**

**GOOSSENS**
Le romantisme à la valise est revenu
**BD213/3**

**GOTLIB**
Pervers Pépère
**BD8/3**
Rhââ Lovely
**BD21/3 & BD55/3**
*Gai-Luron*
**BD43/3, BD75/3, BD169/3, BD209/3 et BD238/3**
Hamster Jovial et ses louveteaux
**BD83/2**
Rhâ-gnagna
**BD159/3**
Ecrits fluides, rires glaciaux
**BD226/4**

**GOTLIB & ALEXIS**
Dans la joie jusqu'au cou
**BD93/3**

**GOTLIB & LOB**
Superdupont/Oui nide iou
**BD244/3**

**HARDY & CAUVIN**
*Pierre Tombal*
**BD182/3 et BD255/3**

**LELONG**
*Carmen Cru*
**BD64/3, BD119/3, BD180/3 et BD219/3**

**LUCQUES**
Best of Zizi
**BD177/3**

**MAESTER**
Athanagor Wurlitzer/ Obsédé sexuel
**BD202/3 & BD234/3**
Sœur Marie-Thérèse des Batignolles (1, 2, 3)
**BD220/3, BD242/3 & BD264/3**

**MENDENHALL**
Lois de la thermodynamique du chat
**BD277/1**

**PETILLON**
Jack Palmer/Un détective dans le yucca
**BD239/6 Couleur**

**PTILUC**
*Pacush blues/Destin farceur*
**BD147/5 et BD 263/5 Couleur**

**SERRE**
Les meilleurs dessins
**BD6/5 Couleur**
Humour noir
**BD35/5 Couleur**
A tombeau ouvert
**BD86/5 Couleur**
Sport en Serre
**BD261/5**

**TRONCHET**
Raymond Calbuth
**BD193/4 Couleur**
Jean-Claude Tergal garde le moral
**BD254/3**

**VEYRON**
L'amour propre
**BD7/5 Couleur**
Ce n'est plus le peuple qui gronde...
**BD243/6 Couleur**

**VINER & REMKIEWICZ**
Pour en finir avec tout chat
**BD265/3**

**VUILLEMIN**
Les sales blagues de l'Echo
**BD227/6 Couleur**
Tragiques destins
**BD247/6 Couleur**

**VUILLEMIN & BERROYER**
Raoul Teigneux contre les Druzes
**BD267/4**

**WOLINSKI**
Scoopette, la nympho de l'info
**BD280/3**
Enfin, des vrais hommes !
**BD286/3**

***COLLECTIF***
La bande à Renaud
**BD76/4**
Baston
**BD136/4**

# JUNIOR

**ARNAL C.**
Pif le chien
**BD81/4 Couleur**

**DEGOTTE**
Les motards
**BD201/3**
Et les motards, mon cher Watson...
**BD210/3**

**LAMBIL & CAUVIN**
*Les tuniques bleues*
- Les bleus de la marine
**BD154/4 Couleur**
- Des bleus en noir et blanc
**BD179/5 Couleur**

**MARTIN**
*Alix*
- Les légions perdues
**BD68/6 Couleur**
**L'Antiquité gréco-romaine reconstituée, au travers des aventures d'un Gaulois intrépide.**
- L'enfant grec
**BD218/5 Couleur**

**QUINO**
*Mafalda*
- Le monde de Mafalda
**BD198/3**
- Le petit frère de Mafalda
**BD214/4**
- La famille de Mafalda
**BD259/4**

**TABARY**
L'enfance d'Iznogoud
**BD9/5 Couleur**

**WALTHERY**
*Natacha*
- La mémoire de métal
**BD101/4 Couleur**
- Double vol
**BD151/4 Couleur**
- L'île d'outre-monde
**BD206/4 Couleur**

# AVENTURES ET FICTIONS

**COMÈS**
La belette
**BD99/5**

**FRED**
Magic Palace Hôtel
**BD72/4**

**JODOROWSKI & MOEBIUS**
L'Incal/Ce qui est en bas
**BD139/5 Couleur**

**MAZZUCCHELLI**
Batman/Souriez !
**BD 176/5 Couleur**

**NOWLAND & BARR**
Batman/
L'œil du serpent
**BD217/5 Couleur**

**PRATT**
*Corto Maltese*
- La ballade de la mer salée
**BD11/6**
- Sous le signe du Capricorne
**BD63/6**
- Les Celtiques
**BD174/6**

**SCHETTER**
Cargo/L'écume de Surabaya
**BD57/5 Couleur**

**SERVAIS & DEWAMME**
Tendre Violette
**BD42/5**

**TARDI**
*Adèle Blanc-Sec*
- Le démon de la tour Eiffel
**BD56/4**
- Le savant fou
**BD120/4**

**TARDY & FOREST**
Ici même
**BD62/6**

# ADULTE

**BRUNEL**
*Pastiches*
Ecole franco-belge - 2
**BD211/5 Couleur**

***COLLECTIF***
Parodies
**BD175/4**

**GILLON**
La survivante
**BD111/6 Couleur**

**LACAMP, GALLIAND & BORDIER**
Fleur de prunus...
**BD235/6 Couleur**

**LUCQUES**
Best of Zizi
**BD177/3**

**MANARA**
HP et Guiseppe Bergman
**BD20/5**
Le déclic
**BD31/4**
Le déclic-2
**BD252/4**
Le déclic-3
**BD285/4**
Le parfum de l'invisible
**BD105/4 (Edition parfumée)**
Rêver, peut-être
**BD199/6**
Candide caméra
**BD241/4**

**VAN DEN BOOGAARD**
Léon-la-Terreur s'en balance
**BD249/5 Couleur**

**VARENNE**
*Erma Jaguar*
1 - Erma Jaguar
**BD191/4**
2 - Les noces d'Erma
**BD257/4**
3 - Les caprices d'Erma
**BD283/4**

**VEYRON**
L'amour propre
**BD7/5 (Couleur)**

# Grands romans

**La littérature conjuguée au pluriel, pour votre plaisir. Des œuvres de grands romanciers français et étrangers, des histoires passionnantes, dramatiques, drôles ou émouvantes, pour tous les goûts...**

**ADLER Philippe**

Bonjour la galère !
**1868/1**

Les amies de ma femme
**2439/3**

**Mais qu'est-ce qu'elles veulent ces bonnes femmes ? Quand il rentre chez lui, Albert aimerait que Victoire s'occupe de lui mais rien à faire : les copines d'abord. Jusqu'au jour où Victoire se fait la malle et où ce sont ses copines qui consolent Albert.**

**ANDREWS™ Virginia C.**

*Fleurs captives*

**Dans un immense et ténébreux grenier, quatre enfants vivent séquestrés. Pour oublier leur détresse, ils font de leur prison le royaume de leurs jeux, le refuge de leur tendresse, à l'abri du monde. Mais le temps passe et le grenier devient un enfer. Et le seul désir de ces enfants devenus adolescents est désormais de s'évader... à n'importe quel prix.**

- Fleurs captives
**1165/4**
- Pétales au vent
**1237/4**
- Bouquet d'épines
**1350/4**
- Les racines du passé
**1818/5**
- Le jardin des ombres
**2526/4**

*La saga de Heaven*

- Les enfants des collines
**2727/5**

**C'est l'envers de l'Amérique : la misère à deux pas de l'opulence. Dans la cabane sordide où elle vit avec ses quatre frères et sœurs, Heaven se demande comment ses parents ont eu l'idée de lui donner ce prénom : «Paradis». Un jour, elle apprendra le secret de sa naissance.**

- L'ange de la nuit
**2870/5**
- Cœurs maudits
**2971/5**
- Un visage du paradis
**3119/5**
- Le labyrinthe des songes
**3234/6**

Ma douce Audrina
**1578/4**

**Etrange existence que celle d'Audrina ! Sur cette petite fille de sept ans, pèse l'ombre d'une autre : sa sœur aînée, morte il y a bien longtemps dans des circonstances tragiques et qu'elle est chargée de faire revivre.**

*Aurore*

**Un terrible secret pèse sur la naissance d'Aurore. Brutalement séparée des siens, humiliée, trompée, elle devra payer pour les péchés que d'autres ont commis. Car sur elle et sur sa fille Christie, plane la malédiction des Cutler...**

- Aurore
**3464/5**
- Les secrets de l'aube
**3580/6**
- L'enfant du crépuscule
**3723/6**
- Les démons de la nuit
**3772/6**
- Avant l'aurore
**3899/5**

**ARCHER Jeffrey**

Le souffle du temps
**4058/9**

**ASHWORTH Sherry**

Calories story
**3964/5 Inédit**

**ATTANÉ Chantal**

Le propre du bouc
**3337/2**

**AVRIL Nicole**

Monsieur de Lyon
**1049/2**

La disgrâce
**1344/3**

**Isabelle est heureuse, jusqu'au jour où elle découvre qu'elle est laide. A cette disgrâce qui la frappe, elle survivra, lucide, dure, hostile, adulte soudain.**

Jeanne
**1879/3**

**Don Juan aujourd'hui pourrait-il être une femme ? La belle Jeanne a appris, d'homme en homme, à jouir d'une existence qu'elle sait toujours menacée.**

L'été de la Saint-Valentin
**2038/1**

La première alliance
**2168/3**

Sur la peau du Diable
**2707/4**

Dans les jardins de mon père
**3000/2**

Il y a longtemps que je t'aime
**3506/3**

**L'amour impossible entre Antoine, 14 ans, et Pauline, sa belle-mère.**

**BACH Richard**

Jonathan Livingston le goéland
**1562/1 Illustré**

Illusions/Le Messie récalcitrant
**2111/1**

Un pont sur l'infini
**2270/4**

# Grands romans

**BELLETTO René**
Le revenant
**2841/5**
Sur la terre comme au ciel
**2943/5**
La machine
**3080/6**
L'Enfer
**3150/5**

**BERBEROVA Nina**
Le laquais et la putain
**2850/1**
Astachev à Paris
**2941/2**
La résurrection de Mozart
**3064/1**
C'est moi qui souligne
**3190/8**
L'accompagnatrice
**3362/4**
De cape et de larmes
**3426/1**
Roquenval
**3679/1**
A la mémoire de Schliemann
**3898/1**

**BERGER Thomas**
Little Big Man
**3281/8**

**BEYALA Calixthe**
C'est le soleil qui m'a brûlée
**2512/2**
Le petit prince de Belleville
**3552/3**
Maman a un amant
**3981/3**
**Loukoum, douze ans, est un Africain de Belleville, gouailleur et tendre comme tous les gamins de Paris. Mais voilà que sa mère décide soudain de s'émanciper. Non contente de vouloir apprendre à lire et à écrire, elle prend un amant, un Blanc par-dessus le marché ! Décidément, la liberté des femmes, c'est rien de bon...**

**BLAKE Michael**
Danse avec les loups
**2958/4**

**BORY Jean-Louis**
Mon village à l'heure allemande
**81/4**

**BOUDARD Alphonse**
Saint Frédo
**3962/3**

**BRAVO Christine**
Avenida B.
**3044/3**

# TERROIR

**Romans et histoires vraies d'une France paysanne qui nous redonne le goût de nos racines.**

**BRIAND Charles**
De mère inconnue
**3591/5**
**Le destin d'Olga, placée comme domestique chez des paysans angevins et enceinte à 14 ans.**

**CLANCIER G.-E.**
Le pain noir
**651/3**

**GEORGY Guy**
La folle avoine
**3391/4**
**Orphelin, Guy-Noël vit chez sa grand-mère, une vieille dame qui connaît tout le folklore et les légendes du pays sarladais.**

**JEURY Michel**
Le vrai goût de la vie
**2946/4**
Une odeur d'herbe folle
**3103/5**
Le soir du vent fou
**3394/5**
**Un soir de 1934, alors que souffle le vent fou, un feu de broussailles se propage rapidement et détruit la maison du maire...**

**LAUSSAC Colette**
Le sorcier des truffes
**3606/1**

**MASSE Ludovic**
*Les Grégoire*
**Histoire nostalgique et tendre d'une famille, entre Conflent et Vallespir, en Catalogne française, au début du siècle.**
- Le livret de famille
**3653/5**
- Fumées de village
**3787/5**
- La fleur de la jeunesse
**3879/5**

**PONÇON Jean-Claude**
Revenir à Malassise
**3806/3**

**SOUMY Jean-Guy**
Les moissons délaissées
**3720/6**
**Mars 1860. Un jeune Limousin quitte son village natal pour aller travailler à Paris, dans les immenses chantiers ouverts par Haussmann. Chaque année, la pauvreté contraint les gens de la Creuse à délaisser les moissons... Histoire d'une famille et d'une région au siècle dernier.**

**VIGNER Alain**
L'arcandier
**3625/4**

**VIOLLIER Yves**
Par un si long détour
**3739/4**

# Grands romans

**BROUILLET** Chrystine
*Marie LaFlamme*
- Marie LaFlamme
**3838/6**
**En 1662, à Nantes, la mère de Marie est condamnée au bûcher. Pour sauver sa fille, elle lui fait épouser un riche et cruel armateur, Geoffroy de St Arnaud. Mais Marie aime Simon et pour conquérir sa liberté, elle est prête à tout. Même à s'embarquer pour la Nouvelle-France, qui va devenir le Canada...**
- Nouvelle-France
**3839/6**
- La renarde
**3840/6**

**BYRNE** Beverly
Gitana
**3938/8**

**CAILHOL** Alain
Immaculada
**3766/4 Inédit**
**Histoire d'un écrivain paumé, en proie au mal de vivre. Un humour désespéré teinte ce premier roman d'un auteur bordelais de vingt ans, qui s'inscrit dans la lignée de Djian.**

**CALFAN** Nicole
La femme en clef de sol
**3991/2**

**CAMPBELL** Naomi
Swan
**3827/6**

**CATO** Nancy
Lady F.
**2603/4**
Tous nos jours sont des adieux
**3154/8**
Sucre brun
**3749/6**
Marigold
**3837/2**

**CHAMSON** André
La Superbe
**3269/7**
La tour de Constance
**3342/7**

**CHEDID** Andrée
La maison sans racines
**2065/2**
Le sixième jour
**2529/3**
**Le choléra frappe Le Caire. Ignorante et superstitieuse, la population préfère cacher les malades car, lorsqu'une ambulance vient les chercher, ils ne reviennent plus. L'instituteur l'a dit : «Le sixième jour, si le choléra ne t'a pas tué, tu es guéri.»**
Le sommeil délivré
**2636/3**
L'autre
**2730/3**
Les marches de sable
**2886/3**
L'enfant multiple
**2970/3**
Le survivant
**3171/2**
La cité fertile
**3319/1**
La femme en rouge
**3769/1**

**CLANCIER**
**Georges-Emmanuel**
Le pain noir
**651/3**
**Le pain noir, c'est celui des pauvres, si dur, que même les chiens n'en veulent pas. Placée à huit ans comme domestique chez des patrons avares, Cathie n'en connaîtra pas d'autre. Récit d'une enfance en pays Limousin, au siècle dernier.**

**CLERC** Christine
Jacques, Edouard, Charles, Philippe et les autres
**3828/5**

**CLÉMENT** Catherine
Pour l'amour de l'Inde
**3896/8**
**Le roman vrai des amours de Nehru et de Lady Edwina Mountbatten, l'une des plus grandes dames de l'aristocratie anglaise, femme du dernier des vice-rois des Indes britanniques.**

**COCTEAU** Jean
Orphée
**2172/1**

**COLETTE**
Le blé en herbe
**2/1**

**COLOMBANI**
**Marie-Françoise**
Donne-moi la main, on traverse
**2881/3**
Derniers désirs
**3460/2**

**COLLARD** Cyril
*Cinéaste, musicien, il a adapté à l'écran et interprété lui-même son second roman* Les nuits fauves.
*Le film 4 fois primé, a été élu meilleur film de l'année aux Césars 1993. Quelques jours plus tôt Cyril Collard mourait du sida.*
Les nuits fauves
**2993/3**
Condamné amour
**3501/4**
Cyril Collard : la passion
**3590/4 (par J.-P. Guerand & M. Moriconi)**
L'ange sauvage (Carnets)
**3791/3**

**CONROY** Pat
Le Prince des marées
**2641/5 & 2642/5**
Le Grand Santini
**3155/8**

**CORMAN** Avery
Kramer contre Kramer
**1044/3**

# Grands romans

## DeMILLE Nelson

Le voisin
**3722/9**

## DENUZIERE Maurice

**A l'aube du XIXe siècle, le pays de Vaud apparaît comme une oasis de paix, au milieu d'une Europe secouée de furieux soubresauts. C'est cette joie de vivre oubliée que découvre Blaise de Fontsalte, soldat de l'Empire, déjà las de l'épopée napoléonienne. De ses amours clandestines avec Charlotte, la femme de son hôte, va naître une petite fille... La nouvelle saga de Maurice Denuzière.**

Helvétie
**3534/9**
La Trahison des apparences
**3674/1**
Rive-Reine
**4033/6 & 4034/6**

## DHÔTEL André

Le pays où l'on n'arrive jamais
**61/2**

## DICKEY James

Délivrance
**531/3**

## DIWO Jean

Au temps où la Joconde parlait
**3443/7**

**1469. Les Médicis règnent sur Florence et Léonard de Vinci entame sa carrière, aux côtés de Machiavel, de Michel-Ange, de Botticelli, de Raphaël... Une pléiade de génies vont inventer la Renaissance.**

## DJIAN Philippe

*Né en 1949, sa pudeur, son regard à la fois tendre et acerbe, et son style inimitable, ont fait de lui l'écrivain le plus lu de sa génération.*

37°2 le matin
**1951/4**

**Se fixer des buts dans la vie, c'est s'entortiller dans des chaînes... Oui, mais il y a Betty et pour elle, il irait décrocher la lune. C'est là qu'ils commencent à souffrir. Car elle court derrière quelque chose qui n'existe pas. Et lui court derrière elle. Derrière un amour fou...**

Bleu comme l'enfer
**1971/4**
Zone érogène
**2062/4**
Maudit manège
**2167/5**
50 contre 1
**2363/2**
Echine
**2658/5**
Crocodiles
**2785/2**

**Cinq histoires qui racontent le blues des amours déçues ou ignorées. Mais c'est parce que l'amour dont ils rêvent se refuse à eux que les personnages de Djian se cuirassent d'indifférence ou de certitudes. Au fond d'eux-mêmes, ils sont comme les crocodiles : «des animaux sensibles sous leur peau dure.»**

## DOBYNS Stephen

Les deux morts de la Señora Puccini
**3752/5 Inédit**

## DORIN Françoise

*Elle poursuit avec un égal bonheur une double carrière. Ses pièces (La facture, L'intoxe...) dépassent le millier de représentations et ses romans sont autant de best-sellers.*

Les lits à une place
**1369/4**
Les miroirs truqués
**1519/4**
Les jupes-culottes
**1893/4**
Les corbeaux et les renardes
**2748/5**

**Baron huppé mais facile à duper, Jean-François de Brissandre trouve astucieux de prendre la place de son chauffeur pour séduire sa dulcinée. Renarde avisée, Nadège lui tient le même langage. Et voilà notre corbeau pris au piège, lui qui croyait abuser une ingénue.**

Nini Patte-en-l'air
**3105/6**
Au nom du père et de la fille
**3551/5**

**Un beau matin, Georges Vals aperçoit l'affiche d'un film érotique, sur laquelle s'étale le corps superbe et intégralement nu de sa fille. De quoi chambouler un honorable conseiller fiscal de soixante-trois ans ! Mais son entourage est loin de partager son indignation. Que ne ferait-on pas, à notre époque, pour être médiatisé ?**

Pique et cœur
**3835/1**

# Grands romans

**DUBOIS Jean-Paul**
Les poissons me regardent
**3340/3**
Une année sous silence
**3635/3**
Vous aurez
de mes nouvelles
**3858/2**

**DUNKEL Elizabeth**
Toutes les femmes
aiment un poète russe
**3463/7**

**DUROY Lionel**
Priez pour nous
**3138/4**

**EDMONDS Lucinda**
En coulisse
**3676/6**

**ELLISON James**
Calendar girl
**3804/3**

**FERBER Edna**
Show-Boat
**4016/5**
**Au début du siècle, tous les grands fleuves américains sont sillonnés de bateaux affrétés par des troupes théâtrales. Ces comédiens ambulants abordent pour quelques représentations et repartent un peu plus loin. La vie et les amours de Magnolia, une enfant de la balle, dans le Sud pittoresque d'autrefois.**

**FIELD Michel**
L'homme aux pâtes
**3825/4**

**FIELDING Joy**
Dis au revoir à maman
**1276/4**
**Lors de son divorce, Donna s'est battue pour avoir la garde de ses enfants. Mais lors d'un week-end, Victor, son ex-mari, disparaît avec Adam et Sharon. Que peut Donna contre ce rapt qui ne tombe sous le coup d'aucune loi ? Pour retrouver ses enfants, elle va se battre, espérant et désespérant tour à tour...**
La femme piégée
**1750/4**

**FOSSET Jean-Paul**
Saba
**3270/3**

**FOUCHET Lorraine**
Jeanne sans domicile fixe
**2932/4**

**FREEDMAN J.-F.**
Par vent debout
**3658/9**

**FRISON-ROCHE**
*Né à Paris en 1906, l'alpinisme et le journalisme le conduisent à une carrière d'écrivain. Aujourd'hui il partage son temps entre de grands reportages, les montagnes du Hoggar et Chamonix.*
La peau de bison
**715/3**
La vallée sans hommes
**775/3**
Carnets sahariens
**866/2**
Premier de cordée
**936/3**
**Le mont Blanc, ses aiguilles acérées, ses failles abruptes, son pur silence a toujours été la passion de Jean Servettaz. C'est aussi pour cela qu'il a décidé d'en écarter son fils. Mais lorsque la montagne vous tient, rien ne peut contrarier cette vocation.**
La grande crevasse
**951/3**
Retour à la montagne
**960/3**
La piste oubliée
**1054/3**
La Montagne
aux Écritures
**1064/2**
Le rendez-vous
d'Essendilène
**1078/3**
Le rapt
**1181/4**
Djebel Amour
**1225/4**
**En 1870, une jolie couturière épouse un prince de l'Islam. A la suite de Si Ahmed Tidjani, elle découvre, éblouie, la splendeur du Sahara. Décidée à conquérir son peuple, elle apprend l'arabe, porte le saroual et prend le nom de Lalla Yamina.**
La dernière migration
**1243/4**
Les montagnards de la
nuit
**1442/4**
**Frison-Roche, qui a lui-même appartenu aux maquis savoyards, nous raconte le quotidien de ces combattants de l'ombre.**
L'esclave de Dieu
**2236/6**
Le versant du soleil
**3480/9**

**GEDGE Pauline**
La dame du Nil
**2590/6**
**L'histoire d'Hatchepsout, reine d'Egypte à 15 ans. Les splendeurs de la civilisation pharaonique et un destin hors série.**

# Grands romans

## GEORGY Guy

La folle avoine
**3391/4**
Le petit soldat de l'Empire
**3696/4**
L'oiseau sorcier
**3805/4**

## GOLDSMITH Olivia

La revanche des premières épouses
**3502/7**

## GOLON Anne et Serge

*Angélique*
Marquise des Anges
**2488/7**

**Lorsque son père, ruiné, la marie contre son gré à un riche seigneur, Angélique se révolte. Défiguré et boîteux, le comte de Peyrac jouit en outre d'une réputation de sorcier. Derrière cet aspect repoussant, Angélique va pourtant découvrir que son mari est un être fascinant...**

Le chemin de Versailles
**2489/7**
Angélique et le Roy
**2490/7**
Indomptable Angélique
**2491/7**
Angélique se révolte
**2492/7**
Angélique et son amour
**2493/7**
Angélique et le Nouveau Monde
**2494/7**
La tentation d'Angélique
**2495/7**
Angélique et la Démone
**2496/7**
Angélique et le complot des ombres
**2497/5**
Angélique à Québec
**2498/5 & 2499/5**
La route de l'espoir
**2500/7**
La victoire d'Angélique
**2501/7**

## GROULT Flora

*Après des études à l'Ecole des arts décoratifs, elle devient journaliste et romancière. Elle écrit d'abord avec sa sœur Benoite, puis seule.*

Maxime ou la déchirure
**518/1**
Un seul ennui, les jours raccourcissent
**897/2**

**A 40 ans, Lison épouse Claude, diplomate à Helsinki. Elle va découvrir la Finlande et les enfants de son mari. Une erreur ?**

Ni tout à fait la même, ni tout à fait une autre
**1174/3**
Une vie n'est pas assez
**1450/3**
Mémoires de moi
**1567/2**
Le passé infini
**1801/2**
Le temps s'en va, madame...
**2311/2**
Belle ombre
**2898/4**
Le coup de la reine d'Espagne
**3569/1**
L'amour de...
**3934/1**

## HEBRARD Frédérique

*Auteur de nombreux livres portés avec succès à l'écran ; son œuvre reçoit la consécration avec* Le Harem, *Grand Prix du Roman de l'Académie française 1987.*

Un mari, c'est un mari
**823/2**
La vie reprendra au printemps
**1131/3**
La chambre de Goethe
**1398/3**
Un visage
**1505/2**
La Citoyenne
**2003/3**
Le mois de septembre
**2395/1**
Le Harem
**2456/3**
La petite fille modèle
**2602/3**
La demoiselle d'Avignon
*avec Louis Velle*
**2620/4**
Le mari de l'Ambassadeur
**3099/5**

**Sixtine est ambassadeur. Pierre-Baptiste est chercheur à l'Institut Pasteur. Opposés, l'aventure les réunit pourtant, au beau milieu d'une révolution en Amérique centrale, et va les entraîner jusqu'au Kazakhstan, en passant par Beyrouth et le Vatican !**

Félix, fils de Pauline
**3531/2**
Le Château des Oliviers
**3677/7**

**Entre Rhône et Ventoux, au milieu des vignes, se dresse le Château d'Estelle, son paradis. Lorsqu'elle décide de le ramener à la vie, elle ne sait pas encore que son domaine est condamné. Aidée par l'amour des siens et surtout celui d'un homme, Estelle se battra jusqu'au bout pour préserver son univers.**

# Grands romans

**HOFFMAN Alice**
L'enfant du hasard
**3465/4**
La maison de Nora Silk
**3611/5**

**HUBERT Jean-Loup**
Le grand chemin
**3425/3**

**HUMPHREYS Josephine**
L'amour en trop
**3788/5**

**JAGGER Brenda**
Les chemins de Maison Haute
**2818/9**
**A 17 ans, Virginia hérite de la fortune des Barthforth. Mais dans cette Angleterre victorienne, une femme peut-elle choisir son destin ? Contrainte d'épouser un homme qu'elle n'aime pas, Virginia se révolte.**
La chambre bleue
**2838/8**

**JEAN Raymond**
La lectrice
**2510/1**

**JEKEL Pamela**
Bayou
**3554/9**
**En 1786, les Doucet s'installent au bayou Lafourche, en Lousiane. Quatre femmes exceptionnelles vont traverser, en un siècle et demi, l'histoire de cette famille.**
Columbia
**3897/8**
**Du XVIII^e siècle à nos jours, l'épopée des pionniers indiens et européens de l'Oregon. Cinq générations de femmes et d'hommes héroïques et attachants, dont les bonheurs et les drames vont marquer l'histoire de cette immense contrée du nord-ouest des Etats-Unis.**

**JULIET Charles**
L'année de l'éveil
**2866/3**

**KANE Carol**
Une diva
**3697/6**

**KAYE M.M.**
Pavillons lointains
**1307/4 &1308/4**
**Dans l'Inde coloniale, un officier britannique reçoit l'ordre d'accompagner dans le Rajputana le cortège nuptial des sœurs du maharadjah de Karidkote. Il est loin de s'imaginer que cette mission va décider de toute sa vie.**

**KONSALIK Heinz G.**
Amours sur le Don
**497/5**
La passion du Dr Bergh
**578/4**
Dr Erika Werner
**610/3**
Aimer sous les palmes
**686/3**
L'or du Zephyrus
**817/2**
Les damnés de la taïga
**939/4**
Une nuit de magie noire
**1130/2**
Le médecin de la tsarine
**1185/2**
L'héritière
**1653**
Bataillons de femmes
**1907/6**
Clinique privée
**2215/3**
Conjuration amoureuse
**2399/1**
La saison des dames
**2999/4 Inédit**
La vallée sans soleil
**3254/5 Inédit**
La baie des perles noires
**3413/5 Inédit**
**Un beau jour, Rudolph abandonne tout pour aller s'installer au bout du monde, sur un atoll du Pacifique Sud, en compagnie de la belle Tana'Olu.**

**KOSINSKI Jerzy**
L'oiseau bariolé
**270/3**
**Au début de la guerre, un jeune garçon trouve refuge à la campagne. Mais dans ces pays d'Europe de l'Est où tous sont blonds aux yeux bleus, on persécute l'enfant aux cheveux noirs. Bohémien ou juif, il ne peut que porter malheur. Lui, du haut de ses dix ans, essaie de comprendre et de survivre.**

**LACAMP Ysabelle**
*Coréenne par sa mère, cévenole par son père, elle revendique sa double appartenance. Egalement comédienne et chanteuse, elle conjugue tous les talents.*
La Fille du Ciel
**2863/5**
**Dans la Chine décadente et raffinée du X^e siècle la trop belle Shu-Meï, fragile mais rebelle, a décidé de prendre en main son destin.**
L'éléphant bleu
**3209/5**
Une jeune fille bien comme il faut
**3513/3**
**L'histoire d'une jeune fille en apparence comblée par la vie, qui tombe amoureuse du meilleur ami de son père. Alors rien ne va plus. Sarah se ronge de culpabilité et devient anorexique. Peut-être parce qu'elle n'a pas d'autres moyens de se révolter ou de s'affirmer.**

**LAHAIE Brigitte**
Les sens de la vie
**3916/3**
**Fille de petits restaurateurs de la Beauce, Laure est devenue, par son mariage, une grande bourgeoise. Rejetée par sa belle-famille, elle va tenter de s'imposer, après la mort accidentelle de Luc, en usant de sa fortune et de sa beauté. Mais peu à peu, elle bascule dans la débauche... Un roman initiatique, porté par la rage de vivre, de comprendre et de se trouver.**

# Grands romans

**LEFEVRE Françoise**
La première habitude
697/2
Le petit prince cannibale
3083/3
Sylvestre, c'est un peu le Petit Prince. Il habite une autre planète, s'isole dans son monde, écoute le silence, officiellement catalogué comme autiste. Il dévore littéralement sa mère. Et elle, tout en essayant de le sortir de cette prison, tente de poursuivre son œuvre d'écrivain. Un livre tragique et superbe.

**McCULLOUGH Colleen**
Les oiseaux se cachent pour mourir
1021/4 & 1022/4
Lorsque les Cleary s'installent en Australie, sur un immense domaine où paissent des troupeaux innombrables, la petite Meggie sait déjà qu'un seul homme comptera pour elle. Beau comme un prince, intelligent et doux, Ralph est prêtre et donc rien n'est vraiment possible entre eux. Mais l'amour ne transgresse-t-il pas tous les interdits ?
Tim
1141/3
Un autre nom pour l'amour
1534/4
La passion du Dr Christian
2250/6
Les dames de Missalonghi
2558/3
L'amour et le pouvoir
3276/7 & 3277/7
L'amour et le pouvoir : deux passions qui mènent le monde, dans la Rome antique comme aujourd'hui. Des bords du Tibre aux confins barbares d'Afrique ou d'Arménie, une fresque haute en couleurs , où les hommes de pouvoir s'affrontent, en proie à une folie meurtrière.
La couronne d'herbe
3583/6 & 3584/6

**McMILLAN Terry**
Vénus dans la Vierge
4037/8

**McMURTRY Larry**
Texasville
3321/8

**MAHÉ Patrick**
Memphis blues
4013/4 )

**MALLET-JORIS Françoise**
*Née à Anvers, fille d'un homme d'Etat belge et de l'écrivain Suzanne Lilar, elle fait partie de l'académie Goncourt.*
Adriana Sposa
3062/5
Divine
3365/4
Jeanne est grosse et heureuse. Mais par défi, elle entame un régime. Et son corps mince devient quelque chose d'étranger.Un roman truculent, plein d'humanité et d'intelligence.
Les larmes
3914/6
Sous la Régence, Antoinette éveille la passion de deux hommes : Samson, le bourreau de Paris et le duc d'Orléans. Un roman alerte, sur fond d'Histoire.

**MARIE-POSA**
Eclipse
3189/3

**MARKANDAYA Kamala**
Le riz et la mousson
117/2

**MARKHAM Beryl**
Vers l'ouest avec la nuit
3753/5

**MICHAEL Judith**
Une autre femme
3012/8
Une femme en colère
3300/6 & 3301/6
Farouche
3721/10
Avocate, Anne a été dans son enfance victime d'un viol d'autant plus traumatisant que personne n'a voulu la croire. Lorsque le destin replace son persécuteur, devenu sénateur, sur son chemin, elle va pouvoir enfin se venger.

**MICHAELS Fern**
L'autre rive de l'amour
3768/7

**MILES Rosalind**
Les promesses du péché
3485/7

**MILLER Sue**
Portraits de famille
3656/7

**MONTGOMERY L.M.**
Les vacances de Jane
4067/4

**MONNIER Thyde**
*Les Desmichels*
- Grand-Cap
206/2
- Le pain des pauvres
210/4
- Nans le berger
218/4
Deux bébés naissent à deux mois d'intervalle sur le domaine de Guirande. Firmin, le fils de Laurent Michel en est l'héritier. Nans, l'enfant de la servante, gardera les moutons. Pourtant, le premier conçu, l'enfant de l'amour, c'est lui.
- La demoiselle
222/4
- Travaux
231/4
- Le figuier stérile
237/4

# Grands romans

**MONSIGNY** Jacqueline
Michigan Mélodie
*(Un mariage à la carte)*
1289/2
Quelque part, sur une route du Middle West, un camion brinquebalant s'arrête pour prendre une ravissante auto-stoppeuse. Bo, le conducteur, est bâti en athlète. Très vite, il trouve que cette jeune Française est exaspérante. Mais Audrey a décidé de l'épouser...
Le roi sans couronne
2332/6
Gulf Stream
3280/6
Le maître de Hautefort
3857/8
Dans le Cotentin à la fin du XIXe siècle, Noémie, jeune femme dynamique et pleine d'esprit va moderniser et sauver le vieux domaine familial. Mais Noémie n'est pas seulement une femme d'affaires et les hommes autour d'elle succombent à son charme.

**MORAVIA** Alberto
La belle Romaine
1712/5

**MORRIS** Edita
Les fleurs d'Hiroshima
141/1

**NELL DUBUS** Elisabeth
Beau-Chêne
2346/7
En Louisiane les Clouet édifient Beau-Chêne, un domaine luxuriant. D'une génération à l'autre, les femmes lui donnent son âme.
Comme un feu éternel
3014/7
Folles chimères
3045/4 Inédit

**OGER** Armelle
Enquête sur la vie très privée des Français
3341/6

**PALAISEUL** Jean
Tous les espoirs de guérir
2912/5

**PEYREFITTE** Roger
Les amitiés particulières
17/4

**PIAT** Jean
Le parcours du combattant
3028/4
La vieille dame de la librairie
3278/4
Un livre émouvant et authentique sur la vie, l'amour, et la Grande guerre.
Veille de fête
3715/3
Il est français, elle est allemande. A l'automne de leur existence, ils redécouvrent l'amour.
Le dîner de Londres
4011/3
Deux êtres se rencontrent et s'aiment, durant l'insurrection de Bucarest, en 1956. Puis la vie les sépare. Le hasard les réunit à Londres, vingt-cinq ans plus tard. Ils vont se redécouvrir au cours d'un dîner. Mais les blessures anciennes peuvent-elles se cicatriser ?

**PILCHER** Rosamunde
Les pêcheurs de coquillages
3106/8
September
3446/9

**PLAIN** Belva
Tous les fleuves vont à la mer
1479/5 & 1480/5
En 1911, une jeune juive polonaise arrive, seule, à New York et se marie. Pauvreté, richesse, deuils atroces, Anna surmontera tout. Jusqu'à cet amour secret qu'elle voue à Pierre, qui cependant n'entamera jamais celui qu'elle porte à son mari.
La splendeur des orages
1622/5
La coupe d'or
2425/7
Les Werner
2662/5
Pour le meilleur et pour le pire
3116/6
Le collier de Jérusalem
3336/7
Les Farrel
3540/8
Les silences du cœur
4055/7
Une vie aisée, deux beaux enfants, une maison cossue dans la banlieue chic de New York : Lynn semble avoir tout pour être heureuse. Mais, sans raison apparente, son mari devient brutal avec elle. De la violence verbale, il glisse aux violences physiques et la frappe, de plus en plus souvent et de plus en plus fort. Lynn pourra-t-elle échapper à l'enfer qu'est devenu son foyer ?

**RADIGUET** Raymond
Le diable au corps
2969/1

**RAGUENEAU** Philippe
L'histoire édifiante et véridique du chat Moune
1623/2

**RASPAIL** Jean
Les yeux d'Irène
2037/4
Qui se souvient des Hommes...
2344/3
Moi, Antoine de Tounens, roi de Patagonie
2595/4
L'Ile Bleue
2843/3
Pêcheur de lunes
3087/3

Composition Euronumérique
Achevé d'imprimer en Europe (France)
par Brodard et Taupin à La Flèche (Sarthe)
le 13 novembre 1995. 6738M-5
Dépôt légal nov. 1995. ISBN 2-277-23994-1
1er dépôt légal dans la collection : août 1995
Éditions J'ai lu
27, rue Cassette, 75006 Paris
*Diffusion France et étranger : Flammarion*